MYTHES ET LÉGENDES DES GRANDES CIVILISATIONS

A. NATAF

AMARANDE

Genève • Paris • Montréal

ISBN 2 883 99 102 2

Dépôt légal 1er trimestre 1993

MYTHES ET LÉGENDES DES GRANDES CIVILISATIONS

A. NATAF

SOMMAIRE

SOMMAIRE

QUATRIEME PARTIE
SUMER

CINQUIEME PARTIE
LES CELTES

SIXIEME PARTIE
L'IRAN

SEPTIEME PARTIE
LE NORD

INTRODUCTION

INTRODUCTION

Les mythologies racontent des histoires enchanteresses, terrifiantes ou curieuses qui ne nous laissent jamais indifférents. Ces histoires ressemblent, certes, à des contes, mais ils ne sont pas destinés aux enfants : la sagesse qui se cache sous leur merveilleux, leur magie, leur extraordinaire, s'adresse aux adultes capables encore de rêver.

Comment l'univers a-t-il été créé ? D'où vient l'amour et la guerre ? L'homme peut-il se passer d'ivresse comme le prétendent des esprits chagrins ? La folie, la démesure, telle celle d'Hercule, ne font-elles pas partie de la vie ? Comment s'en accommoder sans sombrer ? Les Anciens osaient se poser de telles questions. Les dieux et les héros de la mythologie étaient les personnalisations des passions humaines, et leurs aventures mettaient en scène de manière grandiose ce qui pouvait arriver à n'importe quel mortel. Dyonisos, c'était l'ivresse. Eros, l'amour, Perséphone le symbole du printemps, du renouveau...

On trouve des mythologies sous toutes les latitudes et elles se ressemblent souvent : le mythe du Déluge, par exemple, est commun à la Bible, à Sumer, à l'Amérique. Il y a comme un fonds commun à toute l'humanité. Les mythologies, d'autre part, constituent les systèmes philosophiques, scientifiques et moraux des peuples encore proches de leur naissance. Elles gardent donc un « savoir » aujourd'hui perdu et qui, jadis, se déclinait en astrologie, en alchimie, en magie. Les constellations astrologiques se retrouvent souvent dans la mythologie grecque. Les dieux babyloniens symbolisent des astres. Les métaux alchimiques, enfin, sont à la fois des dieux et des astres.

Mais ce savoir perdu depuis des millénaires, ce savoir des origines, ce savoir d'un temps que la poésie et la technique n'étaient pas encore en conflit, de quelle manière le recueillir ? Il serait vain de tenter de déchiffrer les mythes comme s'il s'agissait d'une enquête policière. La vérité du mythe reste indissociable de son merveilleux. Que le lecteur se laisse d'abord porter par ce qui l'enchante, l'intrigue ou le terrifie. Qu'il goûte au plaisir des histoires qui sont contées ici. Le reste lui sera donné de surcroît.

Paris, fin juillet 1992

PREMIERE PARTIE

LA GRECE

PREMIERE PARTIE
LA GRECE

I. LE MIRACLE GREC

Comme le pays où elle a surgi, la mythologie grecque baigne dans une lumière éblouissante. Elle est aussi riche et aussi originale que celle d'Egypte, celle d'Inde ou d'ailleurs mais elle nous paraît plus rationnelle. Son mystère se porte en plein soleil. Ses enchantements se font tout proches : nous devenons de grands enfants lorsque nous la découvrons.
Homère (« L'Illiade », 800 av. J.-C. et « L'Odyssée » un peu plus tard), Hésiode (« Les Travaux et les jours »), les Odes de Pindare, les Tragédies d'Eschyle, Sophocle et Euripide et enfin les écrits de l'historien Pausanias (Ve s. av. J.-C.) donnent les versions les plus récentes de cette mythologie. Leurs auteurs ne font que mettre au goût de leur époque des histoires et des croyances beaucoup plus anciennes qui, hélas, ne nous sont point parvenues.
La civilisation grecque ancienne a nourri (et nourrit encore) la nôtre. Il n'est pas nécessaire de rappeler que des pans entiers de sa mythologie se retrouvent dans notre culture et dans nos arts. Il y a à cela de multiples raisons : ne fut-ce pas en Grèce que naquirent la philosophie, la science et la démocratie ? Nous avons besoin, pour aller de l'avant, de retrouver la poésie des origines.

II. LA CREATION DU MONDE

Ouranos et Gaïa

Au commencement, car il y a toujours un point zéro à partir duquel le mythe se déroule, au commencement donc il y eut l'obscurité dissimulée dans le vide. L'obscurité fut attirée par sa propre pesanteur qu'on nomme Erebe, ou « *obscurité des enfers* ». Mais en allant jusqu'au bout de sa profondeur, elle accoucha de sa sœur la nuit (Nyx) qui se creuse et devient une immense sphère. La nuit poursuivit alors sa chute et la tension devient tellement insupportable, que la sphère se coupa en deux moitiés comme un œuf qui éclate. Ces deux moitiés furent l'une, la voûte du ciel (Ouranos), l'autre la Terre (Gaïa), la « *toute belle aux seins épanouis* ».

L'éclosion de l'œuf donna par ailleurs naissance à Ertos (l'« amour aux ailes étincelantes ») qui, coquet, créa le Jour radieux pour se vêtir. L'œuf, ce fut le germe, la vie en puissance ; les fragments de la coquille, ce furent ses matérialités. Gaïa et Ouranos sont des formes concrètes (charnelles), Eros est une passion donnant sa cohésion à l'univers qui naîtra de l'embrassement de la Terre et du Ciel qu'il pousse à s'unir violemment comme deux amants affamés l'un de l'autre.

L'univers, pour les Grecs, ce sont d'abord les dieux. Ceux-ci sont des personnifications de celui-là. (En mythologie, c'est l'univers qui a accouché des dieux et non l'inverse comme dans nos religions.) L'union d'Ouranos et de Gaïa se révèle féconde. Il en sort les Titans, êtres étranges qui tiennent à la fois de la divinité et des forces élémentaires, comme les ouragans, les tremblements de terre ou les irruptions volcaniques. Concrétisant l'eau qui entoure la terre, Océan est le plus célèbre des Titans. On imaginait, à cette époque, que la terre était une île immense flottant au centre d'un fleuve qui l'enserrait.

A côté de l'Eau primordiale, voici le Feu. Le Feu, c'est Hyperion, « Celui qui va au-dessus », qui aura trois enfants : Hélios, le Soleil qui voit tout, Selene, la Lune qui par amour couchera auprès d'un mortel (Endymion) lequel, parce qu'il ne la touchera pas, conservera une jeunesse éternelle, et Eos enfin, l'Aurore « aux doigts d'argent », la mère des Vents. D'autres Titans, des femmes cette fois-ci, complètent le tableau. Ce sont Thémis, la mère des Saisons et des Heures, qui préserve l'équilibre du monde, et sa sœur Mnémosyne, la mémoire de laquelle la conscience émerge. Ces titanides restent vierges à jamais. L'univers semble les préserver pour des temps meilleurs.

Les Titans et Cronos

Les Titans ne sont pas tous des êtres terrifiants, certains seront même les bienfaiteurs de l'humanité. Ainsi de Japet, père entre autres de Prométhée qui donnera le feu aux hommes et d'Epithémée son frère et auxquels remonte indirectement la création des humains, et de Cronos le plus jeune qui engendrera les Olympiens. Le ciel, la terre, les Titans, voici donc le décor de l'acte I planté. Il reste à faire apparaître les dieux et les hommes. Encore faut-il, pour rendre la création harmonieuse, affiner la première mouture, la « civiliser ». Aux Titans, ces forces non encore dégrossies, succèdent les Cyclopes (avec un œil en forme de roue au milieu du front) qui ne figurent plus les éléments anarchiques mais la lumière de l'éclair, les nuées de l'orage et l'éclat du tonnerre.
Par ailleurs, le cours des choses ayant ainsi dépouillé ces éléments primordiaux de leur brutalité, naissent les monstres à 100 bras comme des vestiges qu'on abandonne sur le bord du chemin après une mutation.
Regardant sa descendance, grâce à Hélios son œil auquel rien n'échappe, Ouranos prend en horreur les dernier-nés. (On le comprend !) Chaque fois qu'il découvre l'un d'entre eux, il l'enferme dans un endroit oublié de la vie au centre de la terre. Gaïa, n'en pouvant plus de les réingurgiter ou désespérée de voir tuer ses enfants, on ne sait, appelle les Titans à la révolte. Un seul, Cronos, ose répondre. Comment un père peut-il être vaincu par le plus jeune et le plus chétif de ses fils ? Cronos connaît le lieu et le moment où Ouranos est le plus vulnérable. Il l'attaque alors que, toutes défenses laissées hors de sa chambre à coucher, une nuit, il enveloppe tendrement Gaïa « toute entière » (= il lui fait l'amour). Avec sa faucille d'argent, Cronos châtre Ouranos et jette ses testicules au loin dans le Chaos qu'elles régénèrent. Le sang de la blessure du ciel retombe sur la terre qu'il féconde une nouvelle fois. Naissent les Géants, une nouvelle race de monstres, les Méliades, les nymphes des frènes, et les Erynnies, « celles qui marchent dans l'ombre ». Affreuses ces Erynnies ! Des vipères, leur servant de coiffure, s'enroulent autour de leur tête, et de leurs

yeux coulent sans cesse des larmes de sang. Leur mission ? Pourchasser et punir les pécheurs.
Ouranos déchu, Cronos règne sur l'univers en compagnie de Rhéa, sa sœur-épouse. (L'inceste est un trait constant de la mythologie.) C'est un être violent qui traîne son remords comme on traîne une malédiction. Jaloux de son nouveau pouvoir, il ne délivre pas ses frères qui peuvent devenir des rivaux mais malgré les prières de sa mère et après avoir joué le rôle d'une sage-femme, après les avoir tirés du ventre de la terre, il les propulse au Tartare (dans les ténèbres des Enfers). Dépitée, s'apercevant qu'elle a remis son sort entre les mains d'un ingrat, Gaïa lui lance le mauvais œil. « Tu seras, profère-t-elle, un jour détrôné à ton tour par l'un de tes enfants. » Qu'à cela ne tienne ! Cronos décide de manger tous les bébés que sa femme lui donnera. Il dévore trois filles, Hestia, le foyer familial, Déméter, la fertilité de la terre, Héra, la maternité, et deux fils, Hades, l'intérieur de la terre et Poséidon, le dieu de la mer au triton magique.

Zeus, le roi des dieux

Mais lorsque leur dernier enfant, Zeus, est sur le point de naître, Rhéa qui veut lui éviter de finir comme ses frères et sœurs s'enfuit pour en accoucher en Crète. Puis pour tromper son insatiable époux, elle prend une pierre, la lange comme l'on fait avec un bébé, et la lui offre. Cronos dévore la pierre gloutonnement. (Cette pierre, à forme de phallus probablement, l'écrivain dit l'avoir vue dans le sanctuaire de Delphes où « tous les ans les prêtres l'oignent ».) Rhéa élève en secret le petit Zeus qui se cache dans une grotte sous la bienveillante surveillance des nymphes et des curètes. Les curètes sont des démons turbulents qui passent leur temps à danser et à faire du chahut en entrechoquant des lances contre des boucliers. Ce chahut a pour effet de couvrir les vagissements du bébé et à le faire échapper à la vigilance de Cronos. Appelé à une destinée illustre, l'enfant divin boit le lait de la chèvre Amalthée et mange le miel que des abeilles distillent à son intention. Lorsqu'Amalthée meurt, Zeus garde sa peau pour s'en faire une cuirasse, l'« Egide » (ou « peau de chèvre »), qu'il agite dans le ciel lors des orages.
Une fois adulte, Zeus n'a qu'une idée en tête : détrôner Cronos. Il y parvient par ruse. Lui offrant à boire pour soi-disant lui témoigner sa piété filiale, il lui fait absorber une drogue puissante qui le contraint à rendre les enfants qu'il a dévorés. (Comment ces enfants ont-ils pu vivre des

années durant dans le ventre de leur père ? Le récit ne le dit pas.) Zeus retrouve ainsi ses frères qu'il forme aussitôt en une armée. Cronos est attaqué de toutes parts et vaincu après une guerre terrible qui manque de détruire l'univers.

III. L'APPARITION DE L'HUMANITE

Le paradis des Hespérides

Acte I : création de l'univers. Acte II : couronnement de Zeus. Acte III : c'est au tour des hommes d'apparaître. Comment ces êtres chétifs (ces « cirons perdus dans le cosmos ») ont-ils pu entrer en scène ? Comment sont-ils nés ?
Sur la rive la plus lointaine de la terre – souvenons-nous qu'un fleuve la borne – vivait jadis un peuple mystérieux, les Ciмériens. (Ce peuple était hors de l'histoire, préservé des turbulences de l'univers en gestation et réservé semble-t-il pour des temps meilleurs.) Les Cimériens habitaient une contrée enveloppée de nuages qui, ne laissant jamais la lumière pénétrer, la recouvraient d'une nuit éternelle. Mais si on allait au-delà de cette contrée et que, poussé par la faveur des dieux, on passait derrière le Vent du Nord, on découvrait un pays enchanteur, celui des Hespérides. Les citoyens de cette terre, les Hyperboréens, sans cesse festoyaient joyeusement et jamais la mort, ni même la maladie, ne pouvaient les atteindre. Les Muses étaient les voisines de ces chanceuses créatures et plus au Sud, on trouvait les Ethiopiens que les dieux conviaient parfois à leurs banquets.
Représentants de l'ombre et de la lumière, oubliés de l'univers, les Cimériens et les Hyperboréens demeuraient hors de la pensée des dieux qui avaient d'autres chats à fouetter. Au moment, cependant, où l'univers entra dans l'ordre, ils prirent une certaine importance parce qu'il sembla aux immortels qu'ils préfiguraient une espèce particulière dont le besoin commençait à se faire sentir. Le temps était donc venu de créer les hommes. Cela fut l'œuvre de Prométhée et de son frère Epithémée.

Prométhée, l'ami des hommes

Rallié à Zeus, ayant contribué à sa victoire sur Cronos, Prométhée était un Titan qui se distinguait par sa prévoyance tandis que Epithémée, également allié au roi des dieux, était, lui, un écervelé qui cédant à ses impulsions pour ne réfléchir que plus tard. Avant la naissance de l'homme,

Epithémée distribua aux animaux tous les dons, la force, la souplesse, la rapidité, le courage, les ailes, les poils, la coquille..., de telle sorte qu'il ne resta rien pour celui qui devait être le couronnement de toutes les créatures, et qui fut jeté sans défense dans l'univers. Prométhée essaya d'arranger les choses : il donna à l'homme la forme la plus noble qui soit sur terre et, à l'imitation des dieux, il le fit se tenir debout. Ensuite, prenant un bœuf, il en fit deux parts égales : d'un côté, sous la peau, la chair et les entrailles recouvertes du ventre de l'animal ; de l'autre, les os dépouillés de toute viande mais dissimulés sous de la belle graisse ; et il demanda à Zeus de choisir et d'en laisser une moitié aux hommes. Zeus flatté s'exécuta. Il se saisit des os sous la graisse et il entra dans une fureur sans précédent quand il s'aperçut qu'il avait été berné.

Le dieu des dieux se vengea en refusant d'envoyer le feu aux mortels. C'était un cruel châtiment. Comment allaient-ils subsister ? Comment pourraient-ils se civiliser sans le feu ? N'écoutant que sa générosité, Prométhée monta alors au plus haut du firmament et, par surprise, il déroba les « semences » du feu à la « roue du soleil » qu'il apporta sur terre, cachées dans une tige creuse. « Et dès lors, bien qu'éphémère et fragile, l'espèce humaine a eu la flamme qui lui a permis d'apprendre tout des métiers. » Ce fut plus que Zeus n'en pouvait supporter. Ayant juré de se venger, il fit forger par Héphaïstos une créature d'une beauté divine à l'apparence d'une douce vierge. C'était la femme. Admiratifs, amoureux pour certains d'entre eux, les dieux la comblèrent de cadeaux : en lui offrant qui une robe éclatante, qui des fleurs odoriférantes, qui un diadème étincelant... On l'appela Pandore (« celle qui a tous les dons »). Pandore avait en effet tous les dons — les dieux accompagnèrent leurs cadeaux de leurs vœux — mais elle était curieuse. Zeus l'offrit à Epistémée qui se laissa séduire. Or il y avait quelque part sur la terre — Prométhée et Epistémée habitaient encore la planète — une jarre d'argile colorée dans laquelle étaient enfermés tous les maux imaginables. A peine mariée à Epistémée, Pandore dévorée de curiosité ouvrit la jarre malgré la promesse qu'elle avait faite à son mari de ne pas y toucher. Aussitôt, les maux, les crimes, les peines, tout ce qui depuis ce jour afflige l'humanité s'en échappa. Effrayée, Pandore referma le couvercle juste à temps pour empêcher l'Espérance de fuir à son tour. L'Espérance était l'unique don heureux à se trouver parmi les maux.

Prométhée ne put se résigner à tant de méchanceté de la part de Zeus. Il l'avait aidé autrefois, il avait même été son soutien décisif ; d'autre part il n'avait pas peur. Il dit son fait au dieu des dieux, mais celui-ci n'attendait que cette occasion pour se mettre dans l'une de ses colères mémorables. Zeus envoya ses sbires (Force et Violence) se saisir du révolutionnaire et le conduire au Caucase pour l'attacher à la crête d'un rocher élevé avec des chaînes d'acier que nul jamais ne pourrait briser.

Pourtant, si colérique qu'il pût être, Zeus restait d'une grande sagesse. Il ne faisait pas qu'assouvir une vengeance, il avait mis Prométhée à la torture pour aussi lui arracher un secret. Zeus savait en effet – il en avait le pressentiment – que l'un de ses enfants finirait par le détrôner et que Prométhée connaissait le nom de la mère de cet enfant. (De qui s'agit-il ? Quelques versions du mythe laissent entendre qu'il s'agit de l'homme tout simplement.) Zeus dépêcha donc son messager Hermès pour que Prométhée lui livre le secret. Prométhée refusa malgré les souffrances qu'il était en train d'endurer. (« Va, dit-il, et persuade les vagues de la mer de ne plus déferler ; tu n'auras pas moins de peine à me persuader moi-même. ») Dépité, rendu furieux comme un vulgaire tyran, Zeus le condamna à avoir le foie perpétuellement dévoré par un aigle né d'Echidna, une monstrueuse vipère. Mais Prométhée tout aussi ferme ne cèda pas. Rebelle au corps meurtri, il refusa jusqu'au bout de se soumettre. (« Rien, déclare-t-il, aucune force de l'univers ne saurait contraindre ma volonté. ») Le supplice dura jusqu'au bout où Héraclès (Hercule) d'une flèche abattit l'aigle et délivra le Titan.

De l'âge d'or à l'âge de fer

Un autre mythe raconte différemment la création des hommes et leur histoire. D'après cette version, ce seraient les dieux eux-mêmes qui auraient façonné les humains, ou du moins créé une première espèce, en les pétrissant dans de l'or liquide. Cette espèce ne se distinguait des dieux que sur un point : elle était mortelle. Pour le reste, vivant une condition paradisiaque, elle ne connaissait ni le labeur, ni la souffrance, et le blé en abondance et les troupeaux comme les fruits s'accrochaient d'eux-mêmes aux flancs de la terre. Pourtant, les dieux malgré tout n'étaient pas satisfaits de leur œuvre. On les comprend : la race qu'ils avaient créée était tellement parfaite que rien ne se passait sur terre, les humains se contentant en effet de subsister et de ressembler de plus en plus à des végétaux. La laissant s'éteindre, ils en formèrent donc une nouvelle avec de l'argent cette fois-ci.

La seconde espèce était de loin inférieure à la première, mais les dieux n'étaient toujours pas satisfaits, ils voulaient

voir jusqu'où la créature pouvait déchoir. Ce n'était pas là une curiosité gratuite ; se trouvant en pleine expérimentation, ils tentaient de savoir jusqu'où elle pouvait aller, comme des techniciens mesurent en laboratoire la résistance d'un matériau.
Les dieux choisirent l'airain pour la troisième race et cela fit surgir des hommes terribles, barbares, violents, d'une force peu commune, aimant la guerre à un point tel qu'ils finirent par se détruire eux-mêmes. A la quatrième race, changement de ton, ce fut la race des héros aux aventures glorieuses qui partirent, après leur mort, pour les îles bienheureuses. La cinquième espèce, celle de l'âge du fer, celle que l'on voit encore maintenant sur la terre est une espèce difficile et, au fur et à mesure que les générations se succèdent, le mal gagne en intensité. Il y a plusieurs millénaires déjà, les hommes avaient atteint un si haut degré de méchanceté et d'abjection que Zeus décida d'en finir. Il envoya le Déluge qui, aidé par son frère, le dieu de la mer, noya toute la terre. « Les puissances de l'eau submergèrent la sombre terre » n'épargnant que le Parnasse, le pic le plus élevé. Mais Prométhée – toujours lui – sut protéger sa famille...
L'histoire ne s'arrête jamais cependant. Les générations se succèderont et deviendront plus méchantes les unes que les autres. Un jour leur perverséité sera à un tel niveau, elle sera tellement intolérable, que les hommes finiront par adorer le pouvoir pour lui-même. Lorsque toute justice sera éteinte, lorsque toute poésie disparaîtra, lorsqu'il n'y aura plus un seul homme digne de survivre, Zeus détruira l'espèce entière. Une seule chose pourra la sauver : une évolution radicale, un soulèvement populaire qui ira jusqu'au bout du songe qui le mène. Se poursuivra-t-il ? Ou faut-il s'attendre à une Apocalypse ? Le mythe ne le dit pas. Il laisse la porte ouverte à toutes les possibilités.

IV. EN COMPAGNIE DES DIEUX

Zeus et les autres dieux

Zeus (le Jupiter romain) règne sur tout l'univers. L'égide, sa cuirasse de peau de chèvre recouverte d'écailles et bordée de serpents est affreuse à voir. L'aigle est son oiseau, le chêne son arbre. (Son oracle se fait entendre dans les bruissements des feuilles du chêne.) « Je suis le plus puissant, déclara-t-il un jour. Fixez donc une chaîne d'or au ciel et que chacun d'entre vous, dieux et déesses, s'en saisisse. Vous ne pourrez m'entraîner, mais si je voulais vous faire lâcher prise, cela me serait facile. Je fixerai la chaîne sur une hauteur de l'Olympe et tout restera suspendu dans l'air. Oui, tout, l'univers entier et la mer aussi. » Si absolu soit son pouvoir, il est néanmoins obligé de le partager avec ses frères, ne serait-ce que parce qu'ils ont combattu Cronos avec lui. Semblables à des enfants ou à des conquérants qui dépècent leur conquête, les dieux ont tiré au sort chaque région de l'univers. La mer est revenue à Poséidon, le monde souterrain à Hadès, et à Zeus, le ciel, l'infini avec la pluie et le tonnerre.
D'autre part et malgré son extrême puissance – la plus grande que l'on connaisse –, Zeus est limité à la fois par son caractère et par le Destin. Il est tellement sûr de lui qu'on peut en abuser assez facilement – Prométhée ne l'a-t-il pas fait ? – et il doit d'autre part se soumettre au mystérieux Destin. Qu'est-ce donc que ce destin ? Il semble que ce soit la parole donnée, parole qu'on ne peut que respecter si on ne veut pas déchoir moralement. La règle ne souffre pas d'exception : même Zeus, loi qu'il a juré sur le Styx, un fleuve situé aux Enfers, ne peut défaire ce serment.
Parfois tyrannique, imbu de lui-même, sage et bon d'autres fois, Zeus est un don Juan ; il passe d'une déesse à l'autre, et souvent d'une déesse à une mortelle, en se livrant à des ruses de Sioux pour cacher ses infidélités à Héra, son épouse. Cette dernière siège sur un trône d'or et dépasse la beauté de toutes les citoyennes de l'Olympe. Mais elle est jalouse comme une tigresse. Le ciel retentit sans cesse de ses récriminations. On la comprend : son royal époux vient de prendre la forme d'un cygne pour coucher avec

Léda, une mortelle, ou d'apparaître sous la forme d'une pluie d'or pour séduire Daphnée, une autre terrestre.
Poséidon (Neptune romain) règne sur la mer, sur les tempêtes comme sur les eaux calmes. (« Il commande, et la houle et le vent se lèvent. ») Lorsque sur son char d'or tiré par des dragons, il roule sur l'eau, le silence succède au bruit des vagues. Avec son trident, il peut tout soulever, les montagnes et le reste. C'est lui – on ne sait pourquoi – qui a offert le cheval à l'homme. Protée, qui se métamorphose sans cesse, qui a la faculté de prédire l'avenir et qui garde les phoques sacrés chevauchés par les néérides nues, est son fils préféré. Eblouissantes pucelles, les naïades qui lui sont apparentées habitent les sources, les ruisseaux et les fontaines.
Hadès (Pluton) enfin commande au royaume des morts. C'est aussi le dieu des richesses et des métaux précieux. Il est le souverain de la mort, et non la mort (Thanatos) elle-même. Il gouverne en compagnie de Perséphone, la fille de Déméter. C'est par un sentier qui mène à l'endroit où se rencontrent le fleuve de l'Affliction (l'Acheron) et celui des gémissements (le Cocyte) que l'on descend chez lui. Un passeur qui n'a plus d'âge, le nocher Charon, transporte dans sa barque les âmes des morts et les mène au Tartare sur l'autre rive. Qui pénètre ici doit d'ailleurs laisser toute espérance à la porte. Cerbère, le chien à trois têtes et à queue de dragon, empêche de sortir ceux qui sont entrés.
Ce pays où passent les ombres des héros comme des autres, dessine une véritable géographie. Outre l'Achéron et le Cocyte, trois fleuves y coulent : le Phlègeton, un feu, le Styx, celui des serments irrévocables, et le Léthé, celui de l'oubli où, dit Platon, les âmes viennent dormir avant de se réincarner. Les Erynnies habitent dans les parages ainsi qu'Hynos, le sommeil, et Thanatos. Les rêves y séjournent également. Ils parviennent aux humains en passant par une porte de corne s'ils sont véridiques ou par une porte d'ivoire s'ils sont illusoires.

L'histoire de Déméter

Au plus profond du royaume de la mort, s'élève, blafard et froid, mais luxueux, le palais de Hadès, entouré de fleurs fantomatiques, les asphodèles. Ce roi très puissant partage son trône avec Perséphone mais celle-ci est absente la moitié du temps et pour raconter son histoire, il faut remonter à celle de sa mère. Déméter est la quatrième épouse de Zeus, elle est aussi sa sœur aînée. Bienfaitrice de l'humanité, elle est descendue sur la terre et elle y a

créé le blé. Belle femme aux cheveux blonds comme les épis, elle est toujours présente sur « l'aire sacrée à l'instant du vannage, pour séparer le grain de la belle dans le souffle du vent ». Sa fête se déroule solennellement tous les 5 ans au mois de septembre, et dans le temple d'Eleusis on y met en scène ses mystères les plus sacrés au cours desquels un épi de blé est cueilli en silence...
Perséphone est la fille unique et choyée de Déméter. Un jour que, charmée par un parterre de narcisses, elle s'attarde pour les cueillir, Hadès qui est amoureux d'elle, surgit d'un gouffre sur son noir chariot, la saisit par le poignet et l'entraîne en Enfer. Perséphone pousse un cri déchirant qui, répercuté par la mer et les montagnes, parvient aux oreilles de sa mère en train de se laisser conter fleurette par le cheval de Poséidon. Déméter se précipite à la vitesse du vent. L'angoisse au cœur, mais tout est déjà consommé. Personne n'ose lui dire la vérité. Au bout de 9 jours d'errance et de recherhes pendant lesquels, se laissant dépérir, elle refuse le nectar et l'ambroisie, l'habituelle nourriture des immortels, elle atteint le soleil qui sait qu'il lui est impossible de se défiler puisqu'il a la réputation de tout voir. Il lui raconte.
Quand Déméter apprit que sa fille bien-aimée était retenue au royaume des ombres auprès d'un barbare qui abusait d'elle, une douleur encore plus grande s'empara d'elle. Elle quitta l'Olympe et s'établit sur la terre pour pleurer comme seuls les mortels savaient le faire. Elle marcha de village en village sans compter les jours tant sa peine l'absorbait, et finit par arriver à Eleusis où vieillie, pitoyable dans une robe épaisse et sombre qui la recouvrait entièrement, elle s'assit sur la margelle d'un vieux puits non loin d'une route passagère. Au bout de quelques heures, quatre sœurs, de belles et joyeuses villageoises, s'approchèrent du puits pour y prendre de l'eau, découvrirent la vieille femme et lui demandèrent ce qu'elle faisait là. Déméter répondit qu'elle avait fui des pirates qui avaient fait d'elle une esclave et qu'elle ne savait à qui demander secours en une terre étrangère. Touchées aux larmes, les jeunes filles lui dirent qu'elle était la bienvenue à Eleusis puis elles lui demandèrent d'attendre un moment. Elles allèrent en hâte chez elles et mirent au courant leur mère, Métanire, qui accepta aussitôt d'inviter la voyageuse. Les jeunes filles retournèrent au puits. Quand Déméter passa le seuil de la chambre où Métanire était assise, son jeune fils contre elle, une lumière divine les enveloppa tous deux. Devant ce remerciement, la mère fut envahie de crainte. Cela ne l'empêcha pas d'inviter la déesse à prendre place. Elle lui offrit du miel, le meilleur qu'elle avait, mais la

déesse refusa. Elle demanda de l'orge parfumée dans de la menthe. (Ce sera la boisson que l'on donnera lors des mystères d'Eleusis.) Sa soif étanchée, elle prit l'enfant dans ses bras et décida d'en devenir la marraine. Sa bonté envers les humains était sa seule consolation. Déméter oignit l'enfant d'ambroisie et elle le mit à rôtir dans l'âtre pour lui assurer l'immortalité. Mais Métanire poussa un cri d'épouvante. Déméter se fâcha. Elle jeta l'enfant sur le sol, et quitta la maison de son hôtesse.

Cette année-là, aucune moisson ne poussa, la terre était devenue stérile, l'espèce humaine sembla condamnée à mourir de faim. Cela portait atteinte à l'équilibre de l'univers. Zeus qui ne pouvait laisser les choses en l'état, dépêcha les dieux en ambassade auprès de Déméter pour lui demander de revenir sur sa colère. Mais rien n'y fit, la déesse avait décidé de se désintéresser des humains, et cela durerait, disait-elle, jusqu'au jour où on lui rendrait sa fille. Comprenant que cette résolution était inébranlable, Zeus décida alors de convaincre Hadès de libérer Perséphone. Hermès, son messager, descendit dans le royaume des ombres et aussitôt qu'il eut parlé, la prisonnière se leva du trône qu'elle partageait avec Hadès pour aller rejoindre sa mère. Le mari se soumit ; il ne voulait, disait-il, aller contre les désirs de sa jeune épouse. Il prépara son chariot d'or et avant que les noirs chevaux ne bondissent vers la lumière, il lui offrit quelques grains de grenade en sachant qu'il suffisait qu'elle les mange pour qu'elle soit forcée de lui revenir...

Quand la mère et la fille se retrouvèrent, cela eut lieu à Eleusis, leur joie, on s'en doute, fut immense. Mais leurs embrassades terminées, Rhéa, la vénérable épouse de Cronos, descendit jusqu'à elles pour les informer de la décision finale de Zeus le clairvoyant. Perséphone, avait-il tranché, devait être partagée entre l'Olympe et le royaume des morts. Hadès la garderait durant l'hiver, elle vivrait avec sa mère le reste de son temps à condition que Déméter « redonne aux humains la vie qui ne peut provenir que d'elle », Zeus avait parlé. C'était irrévocable. Sa grand-mère (Rhéa) se portait garante de sa sagesse. Demeter aussitôt fit reverdir les champs et les vergers, et les fruits alourdirent les arbres. Elle se rendit ensuite vers son temple pour apprendre aux hommes à semer le blé qui se mit à onduler sur ses épis. Et voilà comment Déméter, la déesse des moissons, voit chaque année mourir sa fille Perséphone, la radieuse adolescente, symbole du printemps et de l'été. Perséphone d'ailleurs avait changé. Ce n'était plus une jeune fille insouciante, elle avait en elle quelque chose du royaume des ombres. Sa beauté était étrange : c'était à la fois celle de l'extrême jeunesse et celle de la mort. Perséphone était devenue « celle dont le nom ne doit jamais être prononcé ».

Dyonisos, dieu de l'ivresse

Né des scandaleuses amours de Zeus et de la princesse Sémélé, Dyonisos est le seul dieu dont les parents ne sont pas tous les deux des divinités. Violemment épris de Sémélé, n'en pouvant plus d'être repoussé par la très désirable mortelle, Zeus lui promit pour arriver à ses fins de lui accorder tout ce qu'elle lui demanderait. Epiant son mari et sa rivale, Héra pour se venger inspira alors à la princesse de dire qu'elle voulait contempler la splendeur du roi des dieux. Zeus en fut très peiné car il savait que nul humain ne pouvait sans périr le regarder en face mais comme il avait juré sur le Styx, il ne put se défiler. Il se montra donc à Sémélé tel qu'il était dans sa gloire : une nuée au milieu de la foudre et des éclairs. Sémélé reçut Zeus en elle mais son plaisir l'embrasa, et le divin amant eut à peine le temps de lui arracher l'enfant qu'il lui avait fait avant qu'elle ne disparût à jamais dans les flammes.
Comment faire pour que cet enfant échappe à l'acariâtre Héra ? Zeus le cacha dans sa cuisse qui remplaça le ventre maternel. Puis le temps de sa gestation étant venu à terme, Hermès porta le bébé aux nymphes de Nysa, la plus belle des vallées terrestres restée inconnue de tous les explorateurs. On raconte de ces nymphes que Zeus, plus tard, les transforma en étoiles qui amènent la pluie lorsqu'elles se rapprochent de l'horizon. Dyonisos, le dieu du vin, naquit donc du feu et fut élevé par la pluie (la chaleur qui mûrit la vigne et l'eau qui la nourrit)...
Un jour, un bateau de pirates vient tout près des côtes de Grèce pour se livrer au pillage. Les marins aperçoivent sur un promontoire un bel adolescent dont les cheveux ondoyent en boucles sombres et retombent sur un manteau rouge. Une silhouette royale ! Attirés par la rançon qu'ils croient pouvoir obtenir, ils se précipitent au rivage et se saisissent de leur proie. Remontés à bord, ils veulent ligoter l'adolescent, mais ils ont beau s'y prendre à plusieurs reprises, les cordages semblent ne pas vouloir se nouer autour des poignets délicats et des fines chevilles tandis que le prisonnier les regarde avec un sourire ironique. Le timonier qui, au fond, est un brave homme que la vie de boucanier n'a pas tout à fait dénaturé, comprend qu'ils ont affaire à un dieu, il crie à ses collègues qu'il faut le libérer. Mais le capitaine le traite de tous les noms et il donne l'ordre de larguer les voiles. Le vent aussitôt gonfle

la toile sans que le navire ne bouge. Un vin parfumé et capiteux se met soudain à couler de toutes parts sur le pont de la nacelle immobilisée tandis qu'une grappe de raisins mûrs se suspend aux voiles et qu'un lierre vert sombre s'enroule autour du mât. Le bateau est devenu une nef des fous ! Pour porter les choses à leur comble, le prisonnier, le gracile adolescent, se transforme en un terrible lion rugissant à la vue duquel les membres de l'équipage se précipitent à la mer en hurlant. Ils sont tous transformés en dauphins, sauf le timonier qui pourra regagner le rivage à la nage.

Ce terrible et bel adolescent, on l'a reconnu, c'est Dyonisos qu'Héra poursuit de sa haine, et qui, pour lui échapper, est maintenant obligé de voyager comme un proscrit. Il traverse de nombreux pays apportant aux hommes la joie et l'extase mais, parfois frappé de folie par la femme de Zeus, il entraîne ses disciples au délire et au suicide. Chevauchant une panthère, tenant un long bâton surmonté d'une pomme de pins et orné de guirlandes de lierre, il est désormais accompagné d'un cortège de Ménades et de Bacchantes, hagardes, en furie, mettant tout en pièces sur leur passage, dévorant la viande crue, à la tête desquelles se trouve le vieux Sylène monté sur un âne, et les Satyres, mi-hommes, mi-chèvres, qui symbolisent les esprits orgiaques de la terre et du vin. Comme Dyonisos passe par la Thrace, Lycurgue, le roi de ce pays, l'injurie parce que, très conservateur, il ne veut pas d'un nouveau culte qui, apportant la joie à ses sujets, risque de faire vaciller son pouvoir absolu. Estomaqué devant une telle effronterie, le dieu recule et va se réfugier dans les profondeurs de la mer près de Thétis.

Lycurgue en profite pour capturer les Bacchantes mais une force mystérieuse les délivre aussitôt et Zeus sans hésiter frappe le roi de folie. Lycurgue prend une hache et s'imaginant couper des ceps de vigne, il mutile son propre fils. Quand il se calmera, il s'apercevra que son pays a été frappé de stérilité. Consulté, l'oracle révélera que tout rentrerait dans l'ordre à la mort de celui qui avait insulté Dyonisos. Le peuple finira par se révolter et, dans sa fureur, il écartèlera Lycurgue...

Rentré victorieux et célèbre dans la mère patrie – après avoir été soigné par Rhéa –, Dyonisos se présenta en Héotie où le roi Penthée refusa lui aussi ce culte nouveau qui bousculait les vieilles habitudes. Les femmes, lui avait-on dit, pour rendre hommage au dieu perdaient la raison et couraient la campagne en poussant des cris barbares. Ivres de joie, elles chantaient : « Evoé, Bacchantes, venez. O venez. Chantez toutes Dyonisos. Chantez au son des timbales à la voix profonde. Louez celui qui donne la joie. La musique vous appelle. Allez, allez à la montagne. » Comme Tirésias, le vieux sage, mit Penthée en garde en lui disant : « Cet homme au visage empourpré de vin que tu rejettes est un dieu », le roi fut pris d'un fou-rire. Tirésias en effet lui était apparu sous l'accoutrement des femmes devenues folles : une couronne de lierre ceignait ses cheveux blancs, une peau de faon recouvrait ses épaules et il tenait dans sa main la baguette à la pomme de pin.

Les soldats de Penthée capturèrent Dyonisos et l'emmenèrent sous des chaînes. Le prisonnier se laissait faire ; Dieu lui-même, disait-il, viendrait le délivrer ; le cachot ne put, en effet, le retenir longtemps : il sortit et vint supplier Penthée de se convertir. Pour toute réponse, le roi l'injuria.

Quant aux femmes qui adoraient le dieu de l'extase, elles s'étaient réfugiées dans la montagne. Tirésias et Agave, la propre mère de Penthée, les avaient rejointes. Dyonisos montra à cette occasion de quoi il était capable. Frappées de démence, ses fidèles prirent Penthée qui avait fini par se lancer à leur poursuite, pour un lion. Elles se jetèrent sur lui et le mirent en pièces. Pour un peu, elles l'auraient dévoré !...

Un dieu cruel ce Dyonisos ! A Argos, il rendit folles les filles du roi Proetos qui se crurent transformées en génisses et qui finirent par dévorer leurs propres enfants. Ses fureurs sont affreuses : sous leurs coups, les individus se déchirent, ou déchirent les autres, pour retrouver leur nature primitive. Dieu cruel, mais dieu aimé toutefois. Dieu ambivalent ! Dyonisos, le dieu du vin et de l'ivresse, apporte la joie, mais aussi la barbarie et la vulgarité. Cela dépend de l'individu et de la circonstance. Et peut-être Dyonisos bousculera-t-il tout sur son passage parce qu'il est lui-même appelé à mourir et à ressusciter. Comme Perséphone – à laquelle on l'associa dans les mystères d'Eleusis – il périt à l'approche du froid et comme elle, il renaît dans la joie.

V. DU COTE DES HEROS

Hercule entre en scène

Hercule est le héros le plus célèbre de la Grèce. C'est, dit-on, l'homme le plus fort de la terre, et il pense être l'égal des dieux, ce qui, soit-il noté en passant constitue sa faiblesse la plus insigne. Une fois que la Pythie de Delphes refusait de lui répondre, il emporta le trépied sur lequel elle se tenait et se déclara prêt à rendre l'oracle lui-même. Il faillit à cause de cela en venir aux mains avec Apollon... Une autre fois, incommodé par la chaleur, il pointa son arc vers le soleil et il menaça de l'éteindre !...
On a raconté beaucoup de choses sur sa naissance ; mais la version la plus communément admise est la suivante. Alors que la guerre faisait rage et que Alcmène, la femme du stratège Amphitryon, se trouvait séparée de son mari, Zeus qu'elle rendait fou d'amour vint la voir sous la forme d'Amphitryon, échappant au front pour un moment. De ces amours, elle mit au monde deux enfants : Hercule, le fils de Zeus et Iphiclès, le fils d'Amphitryon. Un soir que les deux bébés dormaient dans leurs berceaux, deux serpents se glissèrent dans la chambre. Iphiclès se mit à hurler, mais Hercule gardant son calme saisit les reptiles qui s'enroulèrent autour de son corps. Quand, alertés par les cris, les parents entrèrent dans la chambre, ils y trouvèrent le petit Hercule en train de rire et de jouer avec les dépouilles des serpents. Tirésias, le vieux prophète devenu aveugle, qui était présent, dit à Alcmène que Hercule serait « le héros de l'humanité ». « Je fais le serment, déclara-t-il, que plus d'une femme en Grèce chantera, en filant la laine, ce fils qui est tien et toi qui l'a porté. »
On donna à l'enfant de nombreux éducateurs. La lutte, l'escrime, la natation, devinrent ainsi ses préoccupations favorites et il y excella ; mais il détesta les arts. S'étant mis en colère pour une futilité contre son professeur de musique, il lui fracassa la tête avec son luth sans même s'apercevoir de ce qu'il faisait. Décidant alors de se débarrasser d'un enfant si turbulent, Amphitryon en fit un berger. A 18 ans, Hercule, dont la force s'était encore accrue, tua un lion et se fit un vêtement de sa peau. Le roi de Thèbes voulut l'en remercier : il lui ouvrit les portes

de son palais. Ce roi, Thespies, avait 50 filles, il en mit une chaque nuit dans le lit du héros qui s'unit à toutes en croyant coucher avec la même tant il était fatigué des chasses qu'il menait dans la journée. Hercule épousa ensuite la princesse Meagarée, la fille du roi de Thèbes, qui lui donna trois fils, mais cela finit fort mal.
La rancunière Héra, qui attendait son heure – c'est elle qui avait envoyé les serpents au petit Hercule –, le rendit fou et, subitement sans crier gare, il tua ses enfants et leur mère qui tentait de les protéger. Quand la raison lui revint, il se trouva dans une salle éclaboussée de sang et il ne se souvenait de rien, sauf qu'il conversait avec sa famille il y a un moment à peine. Personne n'osa l'approcher. Amphitryon, à la fin, lui apprit l'atroce vérité. Sur ce, Hercule poussa des cris de douleur. « Ainsi, gémit-il, j'ai tué ceux que j'aimais le plus. C'est sur moi-même que je vengerai ces morts. Oui. Vous verrez. Je me tuerai. » Et il aurait péri de sa propre main, si, averti par un domestique, son ami Thésée n'était arrivé, ne s'était avancé vers lui et n'avait étreint ses mains tachées de sang. Cela signifiait qu'il partageait le crime.

Les travaux d'Hercule

A force de lui dire des paroles d'amitié, Thésée convainquit le héros de souffrir sans attenter à sa vie, et il l'emmena avec lui à Athènes, la cité dont il était le roi. Les Athéniens, qui sont des gens civilisés, lui firent bon accueil, mais lui se sentait souillé. Il consulta l'oracle de Delphes qui lui conseilla de se rendre auprès de son cousin Eurysthée, le roi de Mycènes. Arrivé à Mycènes, Hercule se montra tout à fait humble ; il ne cherchait, disait-il, qu'à se purifier. Poussé par Héra qui tenait enfin sa vengeance, Eurysthée imposa alors au héros douze travaux réputés impossibles à réaliser.
Hercule dut d'abord vaincre le lion de Némée qui faisait toutes sortes de ravages et qu'aucune arme ne pouvait blesser. Qu'à cela ne tienne ! Il l'étrangla. Dès lors, effrayé par une telle force, Eurysthée interdit à son cousin l'accès de la cité et il lui donna ses ordres à distance. Puis vint le combat contre l'hydre de Lerne, un serpent aux multiples têtes qui repoussaient quand on les tranchait. Hercule fut aidé par son neveu Iolas qui lui apporta un tison enflammé avec lequel il cautérisa les plaies au fur et à mesure qu'il coupait les têtes. Le troisième travail consista à ramener vivant un sanglier qu'il fatigua en courant sur la neige, puis qu'il captura. Ensuite Eurysthée lui demanda la biche sacrée aux cornes d'or du mont Cérynie consacrée à Ar-

thémis. C'était une bête qui courait très vite, et Hercule la poursuivit un an sans l'atteindre. Il la blessa légèrement à la fin.
Pour le cinquième de ses travaux, il nettoya les écuries d'Augias, propriété du roi Elide qui, fort négligent, avait laissé un immonde fumier s'accumuler. Le héros détourna les cours de deux fleuves et les fit passer en ces écuries.
Au sixième travail, Hercule extermina les oiseaux du lac Stymphale en Arcadie qui avaient autrefois fui une invasion de loups et qui s'étaient multipliés d'une façon inquiétante. Athéna lui fit cadeau de castagnettes de bronze qu'il fit claquer. Les oiseaux prirent peur. Ils sortirent de leur abri. Il n'eut qu'à les abattre avec des flèches.
Septième travail : il se rendit en Crète où il dompta le taureau sauvage que Poséidon avait jadis offert à Minos. Huitième : il tua Diomède, le roi de Thrace, et il captura ses juments mangeuses d'hommes. Neuvième : luttant contre les Amazones, il s'empara de la ceinture de leur reine Hippolyte. Dixième : il vola les troupeaux de Geryon qui était un monstre à trois corps. Ensuite – onzième travail –, Hercule reçut l'ordre de chercher aux Enfers, Cerbère. Après s'être fait initier aux mystères d'Eleusis et guidé par Hermès, il maîtrisa Cerbère et revint à Mycènes. En voyant le chien monstrueux, Eurysthée eut peur, et Hercule dut le reconduire où il l'avait pris. Le douzième et dernier travail consista à aller cueillir les pommes d'or que les Hespérides (les filles du soir) gardaient dans un jardin merveilleux avec l'aide d'un dragon. Ces pommes étaient le présent de la Terre à Héra lors de son mariage avec Zeus. Héra les avait trouvées si belles qu'elle les avait plantées dans son jardin secret. Pour parvenir en ce lieu, Hercule dut traverser l'Egypte où il tua le roi Buisiris qui sacrifiait les étrangers, puis passer en Arabie, et enfin s'embarquer dans la coupe du soleil qui tous les soirs franchit l'océan. Il accosta au pied du Caucase où il délivra Prométhée qui, en remerciements, lui apprit ce qu'il devait faire pour faire cueillir les pommes par Atlas. Une fois en possession des pommes d'or, Eurysthée, toutefois, ne sut qu'en faire. Hercule les remit alors à Athéna qui alla les reporter dans le jardin d'Héra.

Etouffé par une tunique

On aurait pu croire qu'une fois purifié, Hercule allait s'arrêter. Il n'en fut rien, un héros est destiné à accumuler les exploits. Hercule vainquit ensuite le géant Antée qui avait élevé un temple avec les crânes de ses victimes et qui reprenait force chaque fois qu'il touchait terre. Hercule l'étouffa en le soulevant de terre. Il combattit une autre fois le fleuve Achelous devenu un taureau sauvage et lui ravit la princesse Déjanire qui devint sa nouvelle femme. Mais les héros eux-mêmes sont mortels. Se trouvant en guerre contre le roi Eurystos, Hercule envoya à sa Déjanire des jeunes prisonnières parmi lesquelles se trouvait la très belle Iole, la fille d'Eurystos. Or l'officier qui conduisait ces prisonnières était un traître. Il raconta à Déjanire que son mari était épris d'Iole. Déjanire ne s'en émut pourtant pas outre mesure. Elle possédait un charme qui, pensait-elle, allait lui ramener l'infidèle. Quelque temps après leur mariage, comme avec Hercule, ils rentraient chez eux, un fleuve en crue les arrêta. Le centaure Nessus y faisait le passeur. Il la chargea sur son dos, mais au milieu du fleuve, il tenta d'abuser d'elle. Elle se débattit et cria, et Hercule du rivage blessa le centaure d'une flèche. Touché à mort, Nessus conseilla à Déjanire avant d'expirer de prendre un peu de son sang. C'était, lui dit-il, un philtre puissant... Déjanire crut donc le moment venu. Elle choisit une belle tunique brodée, la teignit du sang du centaure et l'envoya à Hercule qui fut étouffé sitôt qu'il le passa. On raconte qu'il fit allumer un bûcher dans lequel il se précipita pour ne plus souffrir et qu'il monta alors au ciel où Héra se réconcilia avec lui.

La fabuleuse Toison d'or

La fabuleuse conquête de la Toison d'or fut non seulement très populaire en Grèce, mais elle passa les siècles et reste aujourd'hui encore un modèle du genre. C'est à la fois un récit d'aventure et une quête initiatique. Tombé amoureux de la princesse Ino, la fille de Cadmos roi de Thèbes, le roi Athamos répudia sa femme Néphélé pour être libre d'épouser sa nouvelle passion. La princesse Ino était une intrigante sans scrupules : aussitôt mariée, elle chercha à tuer le jeune Phryxos, fils d'Athamas et de Néphélé, qui barrait la route vers la royauté aux enfants qu'elle allait avoir. Pour ce faire, elle usa de magie noire. Elle s'empara de tous les grains de semence du pays, les fit griller et les remit dans leurs sacs sans que personne ne s'en aperçut. Il n'y eut évidemment pas de récolte cette année-là. Le roi envoya alors un messager consulter l'oracle mais, sa fourberie n'étant jamais prise de court, Ino soudoya l'émissaire. Celui-ci déclara à son retour que la parole du dieu avait été terrible mais sans équivoque : il fallait, avait-il dit, sacrifier Phryxos si l'on voulait voir les champs reverdir. Athamas ne voulut s'y résigner. Poussé cependant par le peuple qui, en quête d'un bouc émissaire, menaçait de se révolter, il finit par mener son fils à l'autel. La sœur de l'enfant, la très jeune Nelle accompagnait la victime dont elle refusait de se séparer. Au moment où le prêtre leva son couteau, un miracle se produisit. Appelé par les pleurs de Néphélé, Hermès surgit sous la forme d'un bélier à toison d'or. Il s'empara des enfants et, sur son dos, éblouissant, les transporta dans les airs pour des contrées plus humaines. Ils allèrent bien loin. Comme ils traversaient un détroit, la petite fille tomba dans la mer. C'est pour cela que ce détroit s'appelle désormais la mer d'Hellé (Hellespont). Phryxos cependant arriva en Colchide dont les habitants le reçurent aimablement : leur roi Aètes lui donna l'une de ses filles en mariage. Phryxos sacrifia alors à Zeus le taureau et il fit don de sa toison à son beau-père...

Phryxos avait, d'autre part, un oncle Aéson que son neveu Pélias avait dépossédé de son royaume. Mais cet oncle avait un fils Jason, le véritable héros de cette histoire. Et Jason qui était grand maintenant, voulait reprendre la couronne qui lui revenait de droit. Or un oracle avait prédit à Pélias qu'il serait tué par un homme qui se présenterait devant lui chaussé d'une seule sandale. Et Jason vint sur la place du marché en plein midi, somptueusement vêtu d'une peau de léopard mais un seul pied chaussé. Pélias, tout effaré, lui demanda ce qu'il voulait. Jason lui répondit qu'il était venu chercher son royaume. Le roi lui rétorqua qu'il était disposé à le rendre à la condition qu'on rapportât en Grèce la fameuse Toison d'or dont les manes seraient bénéfiques pour le pays...

Jason qui ne rêvait que d'aventures fut ravi de la proposition. La nouvelle de l'expédition se répandit comme une traînée de poudre enthousiasmant la jeunesse grecque. Hercule, Urphée, Castor et Pollux et bien d'autres accompagnèrent le héros dans ce voyage aussi glorieux que périlleux sur l'Argos (c'était le nom du navire). Au bout de quelques jours, les jeunes gens débarquèrent dans l'île de Lemnos où les femmes avaient tué tous les hommes. Après avoir quitté l'île où ils furent paradoxalement bien accueillis, l'écuyer d'Hercule, Hylas se laissa séduire par une dyade et Hercule s'égara définitivement en le cherchant. Ensuite, les héros rencontrèrent les harpies. Les harpies persécutaient un vieillard Phineus que Zeus avait puni parce qu'il était doué d'un don de prophétie qui ne seyait pas aux humains. Les jeunes gens le délivrèrent et l'autre leur donna des conseils précieux pour la suite.

Ce fut un fabuleux voyage. Ils virent les Amazones, de même que Prométhée sur son rocher, et parvinrent enfin en Colchide. Mais là, ils auraient été tous massacrés si

Médée, l'actuelle fille du roi du pays, n'était tombée amoureuse de Jason. Le roi en effet entra dans une colère folle quand il apprit le but de l'expédition. Il imposa à Jason de terribles épreuves pour s'en débarrasser. Il s'agissait d'apprivoiser deux taureaux aux pieds d'airain qui crachaient le feu puis de leur faire défricher un champ et ensuite de semer des dents de dragon qui donneraient naissance à des hommes armés qu'il fallait enfin exterminer. Cela était impossible, mais Médée vint au secours de Jason. Elle était une magicienne qui « pouvait, si elle le voulait, arrêter la course des étoiles et de la lune ». Elle lui donna un charme dont il s'enduit le corps pour devenir invincible...

Jason traversa victorieusement toutes les épreuves. Mais la nuit venue, sur les conseils de Médée qui savait que son père ne tiendrait pas parole, il s'empara de la Toison d'or qui, toute brillante, était suspendue sur un arbre gardé par un dragon, et il reprit la mer en emmenant la jeune fille à qui il avait promis le mariage. Furieux, le rois de Clochide envoya son fils Absyrtos à la poursuite des Grecs. Décidément menée par la passion qui lui brûlait le sang, Médée tendit un piège à son frère et elle l'égorgea sans hésiter. Ensuite, l'Argos passa le dangereux détroit qui sépare le roc de Scylla du gouffre de Charybde. Mais avant d'arriver en Crète, Talos, le dernier homme de la race d'airain attaqua le navire. Ce fut Médée qui, encore une fois, sauva Jason et ses compagnons. Elle invoqua les chiens de l'Enfer qui vinrent à bout du géant...

En Grèce, de mauvaises nouvelles attendaient les héros. Pélias avait tué le père de Jason, et la mère de celui-ci était morte de chagrin. Jason demanda alors à Médée de l'aider une fois encore, pour accomplir sa vengeance. Médée fut atroce. Elle dit aux filles de Pélias qu'elle connaissait un secret pour rendre la jeunesse. Elle dépeça un vieux bélier, le mit à bouillir dans un chaudron, puis récita une formule magique. Les filles de Pélias virent au bout d'un moment un jeune agneau sortir en gambadant du chaudron ! Convaincues, les malheureuses jeunes filles endormirent leur père et le coupèrent en morceaux, mais lorsqu'elles demandèrent à Médée de dire sa formule, celle-ci avait disparu.

Médée était cruelle, barbare, et Jason, malgré son héroïsme, devait se révéler ingrat et trompeur. Quelques années plus tard, il s'éprit de la fille du roi de Corinthe dont il avait d'ailleurs besoin de l'alliance politique. Sans hésiter, il exila alors Médée et les deux enfants qu'elle lui avait donnés. Médée — on s'en doute — n'était pas femme à laisser passer la chose sans se venger. Elle offrit à la nouvelle épouse de son mari une robe qu'elle lui demanda de mettre pour prouver qu'elles restaient amies. La fille du roi de Corinthe passa la robe qui était magnifique, mais à peine sa peau entra-t-elle en contact avec le tissu qu'elle fut entièrement brûlée par un feu venu du lainage. La vengeance de Médée ne s'arrêta pas là. Elle tua ses enfants de sa propre main et fut emportée vers les Enfers par deux dragons, qu'elle avait elle-même appelés.

VI. HISTOIRES D'AMOUR

Cosmogonies, légendes ayant les dieux pour personnages, aventures héroïques, la mythologie grecque, comme toutes les autres d'ailleurs, ne se réduit pas à cela. Les récits d'amour y occupent une place de choix. Les plus connus et les plus beaux peut-être sont celui d'Eros et de Psyché et celui d'Orphée et Eurydice.

Les amours d'Eros et de Psyché

Un père, raconte la légende, avait trois filles qui étaient les unes plus belles que les autres. Mais si belles fussent-elles, la plus jeune, Psyché, les dépassait toutes. Sa renommée s'étendait sur presque l'ensemble de la terre, et de nombreux prétendants venaient demander sa main. Psyché attirait tellement les hommes que ceux-ci finirent par négliger de rendre hommage à Aphrodite (la Vénus grecque), la déesse de l'amour. En prenant ombrage, celle-ci s'en ouvrit à son fils Eros (Cupidon) et lui demanda de la venger. Eros promit. Seulement quand il vit celle qui devait être sa victime, il s'éprit fortement d'elle et il ne put lui décocher l'une de ses flèches afin que, selon les vœux d'Aphrodite, elle tombât amoureuse du premier venu. Psyché continua donc d'inspirer la passion sans payer quiconque de retour. Trouvait-elle qu'aucun jeune homme n'était trop beau pour elle ? Craignant en tout cas de la voir finir dans la peau d'une vieille fille, son père consulta un oracle. Celui-ci déclara que Psyché devait, en vêtements de deuil, être posée sur le sommet d'une haute montagne pour être offerte à un serpent ailé. On porta donc la jeune fille en ce lieu où elle devait mourir. Là, Psyché sentit courir sur sa peau la tendre haleine de Zéphyr, le plus agréable des vents. Elle s'endormit aussitôt et se réveilla dans une prairie merveilleuse, près d'un château vers lequel, poussée par la curiosité, elle se dirigea.
Ce château était enchanté. Sur le seuil, elle entendit une voix qui lui chuchota : « Entre donc Psyché. Cette demeure est la tienne. » Encouragée, elle obéit, pénétra, flâna dans les innombrables pièces, puis fatiguée, prit un bain et se

mit à table en musique. Il n'y avait nul domestique, le service, pourtant, était impeccable. Lorsque la nuit tomba, Psyché se coucha dans un lit somptueux, et un être qui avait la voix qu'elle avait déjà entendue se glissa à ses côtés pour lui faire l'amour. Sûre qu'il s'agissait de l'homme de sa vie, elle se donna à lui dans la joie. Qui était cet amant ? Psyché savait – son instinct ne pouvait la tromper – que ce n'était ni un monstre ni un fantôme mais, si aimable se montra-t-il, il refusa de se laisser voir. L'aube venue, il disparut.

A quelque temps de là, elle exprima le désir de revoir ses sœurs. Son mari obéit à contrecœur. Sur les ailes du vent, elles furent transportées au château. Ce fut, on s'en doute, des embrassades à ne plus finir ; mais très vite, la jalousie s'empara des visiteuses. Le mari de Psyché devait être un seigneur puissant pour posséder une telle demeure. Qui était-il donc ? Comment s'appelait-il ? Elles le demandèrent à leur jeune sœur qui refusa de répondre. Quelques jours plus tard, nouvelle visite. Les aînées revinrent à la charge et, après avoir semé le trouble dans l'esprit de Psyché, elles lui dirent que son prince charmant était l'affreux serpent annoncé par l'oracle...

Cette nuit-là, torturée par l'angoisse, Psyché ne put fermer l'œil. Elle attendit que son amant s'endormit pour allumer une lampe. Ce qu'elle vit alors la combla de joie : celui qui partageait la couche était beau comme un dieu. Mais une goutte d'huile tomba sur l'homme endormi qui se réveilla en sursaut. Il dit qu'il était Eros lui-même, mais ajouta-t-il, l'amour ne peut vivre sans confiance, et il disparut à jamais. Eplorée, Psyché se mit à sa poursuite. Elle jura d'errer par toute la terre tant qu'il ne lui aurait pas pardonné. Eros était allé se réfugier chez sa mère...

Un jour qu'elle se traînait par les chemins, sous un soleil de plomb, Psyché rencontra Aphrodite qui précisément la cherchait. La déesse dit à la jeune fille qu'elle était prête à lui venir en aide. « Tu es trop laide, lui dit-elle. Aucun homme ne voudra de toi maintenant. Il ne te reste qu'à te montrer serviable. » Et pour lui montrer comment s'y prendre, elle mélangea des graines de blé, de millet et de coquelicot et elle lui demanda de les trier. Psyché ne sut que faire. Découragée, elle se mit à pleurer. Les fourmis eurent alors pitié d'elle. Elles vinrent à son aide. Elles travaillèrent tant et si bien que tout le travail fut fait.

Quand Aphrodite revint, elle entra dans une colère folle. Elle indiqua à la jeune fille une rivière assez loin du lieu où elles se trouvaient. Près de cette rivière, lui dit-elle, tu trouveras des moutons à la toison d'or, rapporte-moi donc un peu de leur laine. Psyché arriva avec peine à la rivière,

et elle était tellement fatiguée qu'elle eut envie de se tuer. Heureusement pour elle, un roseau lui vint en aide. La dernière épreuve imposée par Aphrodite fut la plus dangereuse. Elle envoya Psyché au Styx pour lui rapporter un flacon d'eau. Un aigle cette fois-ci lui vint en aide...
On aurait pu croire que le supplice de la jeune fille était terminé. Il n'en fut rien : Aphrodite ne tint pas parole. La déesse envoya Psyché prendre un peu de la beauté de Perséphone, la reine des Enfers, dans une petite boîte. Perséphone accepta de bonne grâce. Sur le retour, Psyché, ne pouvant résister à la curiosité, ouvrit la boîte. Celle-ci était vide mais Psyché fut saisie par un profond sommeil. C'est alors — ô miracle ! — que Eros apparut. Il réveilla la jeune femme. Eros ensuite plaida leur cause auprès de Zeus qui lui accorda gain de cause : Aphrodite devait accepter Psyché pour belle-fille et en cadeau de noces il conféra l'immortalité à Psyché.

Orphée et Eurydice

Plus sombre, mais aussi belle et aussi célèbre est l'histoire d'Orphée et d'Eurydice. Fils d'une muse et d'un roi de Thrace, Orphée fut le plus grand musicien que la Grèce eût jamais. Lorsqu'il jouait de la lyre ou lorsqu'il chantait, personne ne pouvait rester indifférent. Il entraînait même les arbres, et les bêtes sauvages venaient se coucher à ses pieds. Quant aux fleuves, ils sortaient de leur lit pour l'écouter. Orphée prit part à la conquête de la Toison d'or. Sa présence fut bénéfique sur l'Argos : par sa musique, il calma les colères et redonna courage aux plus désespérés. Ce fut encore lui qui sauva ses compagnons des Syrènes, ces monstres mi-femmes, mi-poissons dont le chant entraînait les navigateurs dans les flots. Il couvrit leur voix par ses harmonies...
Un jour, Orphée rencontra Eurydice. Ce fut le coup de foudre. Mais leur joie hélas fut de courte durée : au cours même de leurs noces, comme la jeune fille, en compagnie de ses demoiselles d'honneur, s'avançait sur un pré parsemé de coquelicots, une vipère sur laquelle elle marcha par mégarde la mordit au talon. Orphée ne put supporter sa douleur. Il devint comme fou, et une idée finit par s'imposer à lui : tenter ce qu'aucun mortel n'avait osé. Il avait décidé de descendre dans le monde souterrain, d'y attendrir ses habitants avec ses chants et de délivrer Eurydice.
Quand il arriva aux portes du monde d'en bas, il fit retentir sa lyre et le miracle se produisit. Charmé, le chien Cerbère cessa de grogner, Sysyphe, qui était condamné à rouler éternellement un rocher, se reposa, et les Furies elles-

mêmes se mirent à pleurer. Attirés, le roi et la reine (Hadès et Perséphone) s'approchèrent pour voir ce qui se passait. Orphée les accueillit en chantant. Il se surpassa. « La Beauté, chanta-t-il, doit un jour ou l'autre descendre en votre royaume/Nous ne nous attardons qu'un instant sur terre/Car nous vous appartenons à jamais/Mais celle que je cherche est partie trop tôt/(...) O Dieux, tissez pour Eurydice/Le voile de la vie si vite enlevé du métier. »

Touchés jusqu'au fond du cœur, Hadès et Perséphone accédèrent à la demande d'Orphée ; ils lui rendirent Eurydice en y mettant une condition toutefois : le musicien ne devait pas se retourner pour voir sa bien-aimée avant d'avoir atteint le monde des vivants. Orphée promit. Il s'engagea sans dire un mot de plus sur les chemins du retour avec Eurydice à sa suite. Il était partagé entre la joie d'avoir retrouvé celle qu'il aimait par-dessus tout, la curiosité et l'inquiétude. Le passage au royaume des morts n'avait-il pas défiguré la beauté d'Eurydice ? Etait-ce vraiment elle ou une ombre qui le suivait ? Au moment précis où il parvint à la lumière du jour, il ne put s'empêcher de se retourner. Il vit Eurydice s'avancer vers lui, puis son image se brouiller, se dissoudre et disparaître. Elle eut juste le temps de lui murmurer un « adieu ». Orphée évidemment, se précipita vers elle, mais en vain ! Cette fois-ci, les dieux lui interdirent le passage.

On imagine dans quel état il était lorsqu'il revint sur la terre. Il devint un veuf inconsolable, un veuf solitaire. Il erra à travers les campagnes en pleurant et en chantant sa peine aux arbres, aux rivières, aux montagnes.

Mais sa douleur lui permit de devenir clairvoyant : il découvrit certains des secrets de l'univers et il les révéla aux hommes dans ses chants. Comme il se trouvait sur le point de connaître le mystère de l'immortalité, Zeus, qui ne pouvait l'admettre, le foudroya. Orphée fut enterré au pied de l'Olympe.

Pyrame, Thisbée et le lion

La mythologie grecque est traversée d'histoires d'amour entre des dieux et des humains. Nous avons déjà vu que Zeus ne dédaignait pas les mortelles, mais il ne fut pas le seul. Sélène (la Lune) tomba amoureuse du beau berger Endymion et depuis, celui-ci sommeille perpétuellement tandis que l'astre tous les soirs le couvre de baisers. Mais les légendes ne concernent parfois que des humains. Ainsi des courtes histoires de « Pyrame et Thisbée » et de « Philémon et Beaucis ».

Pyrame et Thisbée vivaient à Babylone, la ville de la célèbre reine Sémiramis. Ils étaient des adolescents d'une grande beauté, et ils habitaient dans deux maisons mitoyennes. Epris l'un de l'autre, ils ne savaient que faire, car leurs parents qui étaient divisés par une vieille querelle les avaient enfermés afin qu'ils ne se rencontrent pas. Mais heureusement pour eux, le mur qui séparait leurs demeures se lézarda et c'est au travers de la fissure qu'ils échangèrent serments et soupirs. Un jour pourtant, n'en pouvant plus, ils décidèrent de se retrouver la nuit tombée, dans la campagne environnante.
Thisbée, la première, sortit de sa maison et alla vers l'endroit convenu. Une tombe sous un mûrier blanc près duquel coulait un ruisseau que la Lune argentait. Pyrame n'y était pas. Soudain, une lionne apparut. Thisbée eut juste le temps de s'enfuir mais, dans sa course, elle perdit son voile sur lequel l'animal s'acharna. Quand un moment plus tard, Pyram arriva à son tour, il vit le voile déchiqueté et les traces de pattes de la lionne, il crut que Thisbée avait été dévorée. Une atroce douleur s'empara de lui. Il se reprocha d'avoir fait courir à sa maîtresse un danger funeste. Il tira sans hésiter son épée et la plongea dans son cœur. Le sang qui gicla alors teinta les baies du mûrier.
Au bout d'un moment, pensant qu'elle pouvait ne plus craindre la lionne, Thisbée revint au lieu du rendez-vous. Elle aperçut sur le sol Pyrame baignant dans son sang. Une douleur atroce s'empara d'elle à son tour. Se saisissant de l'épée qui se trouvait à côté du corps du jeune homme, elle se la plongea dans les flancs. Cette histoire d'amour émut tellement les dieux, raconte le mythe, qu'ils décidèrent que les fruits du mûrier seraient rouges désormais pour rappeler le souvenir des amants...

L'amour au 3e âge

L'histoire de Philémon et Baucis commence le jour où Zeus accompagné d'Hermès voulut savoir si les Grecs pratiquaient l'hospitalité. Les dieux se déguisèrent en vagabonds et, arrivant dans un village, ils demandèrent à être hébergés. Mais ils eurent beau frapper aux portes, celles-ci restèrent désespérément closes. Ils finirent par arriver devant une pauvre masure à laquelle ils cognèrent par acquis de conscience. Quel ne fut pas leur étonnement d'entendre une voix les prier aimablement d'entrer. Les habitants de cette misérable demeure était un vieil homme (Philémon) et une vieille femme (Baucis), ils vivaient en ces lieux depuis leur mariage et se trouvaient heureux malgré leur manque d'argent.

Zeus et son compère Hermès furent très agréablement accueillis. Leurs hôtes firent flamber un bon feu dans la cheminée et la vieille femme leur prépara une appétissante potée de choux. Philémon tira même un vin, une piquette coupée d'eau, dont il était très fier et qu'il réservait pour les grandes occasions. Cette piquette sembla plaire aux invités. Philémon et Baucis en effet s'aperçurent avec effroi que la jarre qui la contenait restait toujours pleine quel que fût le nombre de coupes versées. Ils comprirent soudain qu'ils avaient affaire à des dieux. Ils s'excusèrent : ils avaient, dirent-ils, une oie qu'ils avaient voulu garder pour les périodes de disette. « Nous vous prions de patienter un moment, demandèrent-ils à Zeus, nous allons vous la préparer. » Mais le roi des dieux leur joua un tour qui l'amusa beaucoup : il fit en sorte que l'oie devint insaisissable ; et les vieillards eurent beau faire, elle leur échappa.
Philémon et Baucis finirent par demander grâce. Zeus se dévoila alors. Il leur apprit que le village serait châtié pour son inhospitalité. Il fit sortir les vieillards et ceux-ci virent avec effroi qu'un déluge avait tout submergé. Ils découvrirent aussi avec étonnement que leur maison était devenu un temple aux colonnes de marbre.
Zeus leur apprit qu'ils seraient les seuls à échapper à la punition et qu'il était même prêt à exaucer leur vœu le plus cher. Philémon et Beaucis demandèrent d'être nommés gardiens du temple et de mourir ensemble, le même jour. Le roi des dieux accéda aussitôt à leur demande. Et lorsque le moment vint pour les héros de cette histoire de quitter la vie, ils furent transformés en un chêne et un tilleul qui avaient un seul et même tronc...

DEUXIEME PARTIE

ROME

DEUXIEME PARTIE
ROME

I. QUAND ROME FUT FONDEE EN 753 AVANT J.-C.

Au IIIe millénaire, probablement descendus d'Europe orientale, les Terramariens de l'âge du bronze prennent la place des Ligures néolithiques qui, en provenance d'Afrique du Nord, sont déjà installés en Italie. Les Ligures occupent la région de Gênes, mais au IXe siècle, ils sont chassés par les Villanoviens, originaires de Hongrie. C'est du brassage de ces ethnies que se forment les Latins... Et ici, démunie de toute certitude, l'histoire est (provisoirement) obligée de céder le pas aux dires de la tradition, selon laquelle les Latins fondent Rome 753 avant J.-C.
Au IXe siècle, les Etrusques – ils viennent d'Asie Mineure – sont arrivés à leur tour. Ils ont apporté une civilisation que les autochtones ont accueilli favorablement : des techniques (métallurgie, poterie...), une écriture (non encore déchiffrée) et une riche spiritualité. Ils ont asservi ceux qui sont déjà là. Mais leur agressivité a eu un effet paradoxal : un groupe de villages adossés au Tibre s'est uni autour de Rome, pour leur résister. Comment cette société morcelée en communes disparates a-t-elle fini par former une nation dont l'expansion fut foudroyante ? L'histoire ne peut tout à fait répondre. Il semble toutefois qu'outre son avance technique, Rome ait eu une formidable capacité à assimiler les pays conquis. La religion romaine intégrera les croyances des peuples qu'elle aura asservis : les armées ramèneront dans leurs bagages les dieux étrangers que les prêtres feront entrer dans leur Panthéon. Et cet éclectisme donnera à l'empire sa cohérence idéologique en évacuant celles des différences qui pourraient être conflictuelles. On retrouve donc les dieux grecs « naturalisés » dans le Panthéon romain. Zeus deviendra ainsi Jupiter, Aphrodite Vénus...

Enée et le rameau d'or

La légende noue l'histoire romaine à l'histoire grecque. Tout commence, raconte l'écrivain Virgile, à la chute de la ville de Troie, lorsque le héros Enée, un fils de Vénus (Aphrodite) réussit avec l'aide de sa mère et en compagnie de son petit garçon à échapper aux agresseurs grecs pour partir à la recherche d'une nouvelle patrie.

Enée, son équipage et ses compagnons essayèrent à plusieurs reprises de fonder une cité, mais ils furent à chaque fois repoussés. La malédiction qui semblait les poursuivre aurait pu durer encore longtemps si Enée n'avait fait un rêve lui indiquant que l'Italie (l'Hespérie) serait sa terre promise. C'est donc la joie au cœur que les voyageurs poursuivirent leur route. Ils ne se trouvaient pourtant pas au bout de leurs peines...

Parvenu en Italie, Enée, suivant en cela les conseils que lui avait donné le prophète Hélénos, alla à la caverne où demeurait la Sybille de Cumes, une femme d'une grande sagesse. Celle-ci lui apprit qu'elle le conduirait au monde souterrain où il retrouverait son père Anchise qui lui révèlerait des secrets nécessaires à connaître pour bâtir la nouvelle cité sous des hauspices heureux. Ils ne pourraient toutefois partir, ajouta-t-elle, qu'à la condition qu'Enée cueille un rameau d'or poussant dans une forêt toute proche. Ce rameau leur servirait de laissez-passer et de talisman dans le monde d'en bas.

Enée découvrit facilement le rameau d'or : il lui fut signalé par un vol de colombes envoyées par Vénus. Et voici donc notre héros au royaume des ombres. Le voyage ressembla à celui que Dante décrit dans sa « Divine Comédie ». Charon, le nautonnier de la barque des morts, laissa passer Enée quand celui-ci lui montra le rameau d'or. Quant à Cerbère, le chien qui gardait l'entrée des Enfers, Enée l'amadoua en lui donnant un morceau de gâteau préparé par la Sybille. Enée traversa ensuite les Champs de l'Affliction où il rencontra Didon qui était morte après son départ. Elle passa tout près de lui, semblable à une statue et sans dire un mot. Au terme d'une longue et périlleuse déambulation, il arriva enfin aux Champs-Elysées, un lieu de béatitude, où Anchise l'accueillit avec l'émotion que l'on devine.

Le père, toutes affaires cessantes, conduit son fils au Léthé, le fleuve de l'oubli où devaient s'abreuver les âmes prêtes à descendre sur terre. Il lui montra tous ceux qui, non encore nés, seraient un jour ses descendants. C'était une race magnifique. Anchise apprit à Enée que ces hommes qui dormaient encore dans le néant deviendraient les maîtres du monde...

La première victoire des Romains

Lorsque, porteur de ces bonnes nouvelles, Enée revint sur terre, il vit que son peuple était dans une situation critique : de furieux ennemis s'opposaient à sa pacifique installation. Les Troyens (une poignée) se trouvèrent donc aux prises avec les Latins et les Rutules. Ceux-ci avaient pris pour chef le redoutable Turnus, allié à la vierge Camille qui avait été élevé par son père dans le fracas des armes. Les Troyens allaient donc succomber. Ce fut le Tibre sur la rive duquel ils avaient dressé leurs tentes qui vint à leur secours en apparaissant à Enée sous la forme d'un songe. Il lui intima l'ordre d'aller à Evandre, le roi d'une pauvre cité perchée au haut de la vallée. Enée obéit, et cela lui fut favorable. Evandre lui fit visiter la roche tarpéienne où devait s'élever un jour le Capitole et où, à l'âge d'or, vivaient des faunes et des nymphes. Puis il lui conseilla de s'allier aux Etrusques asservis par Tournus et de les pousser à la révolte...

La bataille tourna évidemment à l'avantage des Troyens. Enée vainquit Tournus dans un combat singulier et il épousa Lavinia. Il fonda le peuple romain « destiné, selon Virgile, à maintenir sous son empire tous les peuples de la terre et à imposer partout le règne de la soumission absolue ».

II. LES ENFANTS DE LA LOUVE

Au cours des années qui suivirent, le peuple d'Enée constitua avec ses alliés, ou avec les peuples qu'il avait vaincus, une fédération d'une cinquantaine de cités (le Latium).
De même que les dieux avaient décidé que les cités autour d'Athènes deviendraient un haut lieu de civilisation, ils décidèrent que la fédération du Latium formerait une nation agressive et totalitaire. Les Romains auront la guerre dans le sang ! D'ailleurs ne considéraient-ils pas Romulus comme l'ancêtre fondateur de leur cité et ne disaient-ils pas de lui qu'il avait été nourri au lait d'une louve ? Le symbole est clair...

Une louve nourricière

Le quinzième roi de la dynastie fondée par Enée s'appelait Albe Procas. A sa mort, et pour la première fois dans l'histoire de la cité, des dissensions éclatèrent : ses deux fils, les armes à la main, se disputèrent le trône. Amulius, le cadet, chassa l'aîné Numitor et, comme il craignait que celui-ci ne soit un jour vengé par ses enfants, il tua son fils et fit de sa fille Rhéa Silvia une vestale, c'est-à-dire une célibataire consacrée aux dieux. Mais Mars ne l'entendait pas ainsi : il séduisit Rhéa, lui fit l'amour et lui donna deux jumeaux Romulus et Rémus.
Lorsqu'Amulius l'apprit, il plaça les deux jumeaux dans une corbeille et il les abandonna sur le Tibre pour qu'ils fussent emportés vers la haute mer. Mais la corbeille échoua sur une colline, celle du Palatin, au pied d'un figuier merveilleux. Et une louve qui venait de mettre bas fut envoyée par Mars, qui ne se désintéressait pas du sort de sa progéniture, pour nourrir les bébés. Plus tard, le figuier devint un objet de culte sous le nom de « ruminal » (ruminal signifie mamelle).

Autour du mont Palatin

Quand les jumeaux grandirent, ils furent recueillis par le roi Faustulus qui les confia à sa femme Acca Larentia. Un de plus un de moins, quelle importance ? Acca avait déjà 12 enfants. Celle-ci envoya les jumeaux à Gabies, l'école du Latium. Mais pendant les vacances, Rémus et Romulus prenaient la tête d'une bande de jeunes vauriens qui ravageaient tout, n'épargnant ni troupeaux ni filles. Un jour, les hommes d'Amulius, qui à ce jeu avaient eu quelques bêtes tuées, capturèrent Rémus et le conduisirent à Albe. Effaré de la tournure prise par les événements, Faustulus révéla alors à Romulus ce qu'il savait de sa naissance et de celle de son frère. Et Romulus sans réfléchir, entraîna sa bande à Albe. Il fonça sauvagement, tua les gardes du palais, libéra son frère, détrôna Amulius et installa Numitor. Celui-ci fit don à ses petits-enfants d'un territoire comprenant les collines du Palatin, du Capitole et de l'Aventin. Quel allait être le centre de la cité que les jumeaux avaient décidé de fonder ? Pour le savoir, ils s'installèrent l'un sur le Palatin et l'autre sur l'Aventin et décidèrent que ce serait le lieu occupé par celui des deux frères qui verrait le plus grand nombre d'oiseaux. (Auspices, « aves spiere », signifie voir des oiseaux.) Romulus vit 12 vautours et Rémus n'en aperçut que 6. La ville fut donc bâtie à partir du Palatin où se trouvait le vainqueur.

On ne construisait pas jadis une ville n'importe comment. Il fallait se soumettre à un rituel qui avait l'avantage de tracer un « plan directeur » comme disent les urbanistes et de consacrer la cité aux dieux. Romulus définit les limites de son territoire à l'aide d'une charrue comme le voulait la tradition. Or Rémus, jaloux semble-t-il, franchit le sillon sans se plier à la cérémonie habituelle. C'était un acte impie ! Romulus voulut conjurer le sacrilège qui risquait de devenir une malédiction. Il tua son frère et l'enterra sur l'Aventin. Cette colline fut d'ailleurs maintenue jusqu'au Ier siècle de notre ère hors de l'enceinte religieuse de Rome...

L'enlèvement des Sabines

La ville créée, ou du moins sa structure magique définie, il restait à la bâtir et à la peupler. Romulus resta fidèle à lui-même : il déclara le Capitole lieu d'asile ouvert à tous les hors-la-loi qui pullulaient dans la région. Puis quand il eut son content d'hommes, il décida de leur procurer des femmes. Il organisa pour cela des festivités auxquelles il invita les Sabins, des gens pacifiques et des voisins de Rome. Les Sabins vinrent avec leurs épouses et leurs filles. A un signal de Romulus, les Romains se précipitèrent sur les jeunes femmes en âge d'être mariées et les enlevèrent.

Cela ne pouvait évidemment en rester là. Le roi des Sabins, Titus Tatius marcha sur Rome avec une forte armée. Les dieux lui sourirent d'abord : il réussit à pénétrer dans la citadelle grâce à la complicité de Tarpéia, la fille du gardien. On la comprend, cette Tarpéia : les Romains étaient des brutes épaisses et être femme à Rome ne devait pas être drôle ! Elle sera tout de même punie puisqu'elle finira écrasée sous le rocher qui borde le Capitole qui sera appelé « roche tarnéienne » et où l'on précipitera tous les criminels. Les Sabins, cependant, étaient sur le point d'écraser les Romains qu'ils avaient, grâce à la trahison de Tarpéia, réussi à prendre à revers. Mais le dieu Janus fit jaillir devant eux un geyser brûlant. (C'est en ce lieu que devait plus tard s'établir le Forum.) Et Romulus adressa une prière à Jupiter qui, sans hésiter, intervint en sa faveur : les Sabins furent miraculeusement arrêtés. De leur côté, les jeunes Sabines devenues les épouses des Romains qui les avaient enlevées se mirent entre leurs maris et leurs parents et les conjurèrent de faire la paix comme le montre le célèbre tableau de David. On signa la paix. Romulus et Tatius décidèrent que les peuples n'en feraient qu'un désormais, et ils régnèrent ensemble.

III. LES AUTRES DIEUX QUI ONT COMPTE

Le dieu au double visage

Janus est la divinité des commencements. Certains auteurs, dont Ovide, l'identifient au Chaos primordial : le double visage de Janus, disent-ils, est une image de ce Chaos. Son nom pourtant évoque le jour lumineux, et avant tout c'est un dieu solaire qui se trouve à l'origine de la vie, qui préside au lever de chaque jour nouveau. Le premier mois de l'année (janvier) lui est consacré et au cours de toutes les cérémonies, il occupe la première place, il précède Jupiter lui-même.
Janus commande aux entrées et aux sorties, aux arrivées comme aux départs : c'est le dieu des portes, celles des maisons aussi bien que celles des villes. A la fois tourné vers l'extérieur et l'intérieur, son visage lui permet de tout surveiller. Il veille sur l'ensemble des voies de communication tant terrestres que fluviales ou maritimes. C'est lui, dit-on, qui a inventé la navigation...

Les ancêtres, la guerre, la chance...

Vesta symbolise l'esprit des ancêtres, le feu de l'âtre, le centre de la famille, la présence de l'Etat. De même que dans la famille, le feu est constamment entretenu par les jeunes filles, le feu de l'Etat l'est par des jeunes vierges, les Vestales. Fortuna, la Fortune, est l'incarnation du Destin. Elle a été à la fois la nourrice et la fille de Jupiter. Associée au dieu Fors, le hasard, elle est représentée aveugle, ailée, portant comme attributs la corne d'abondance, et/ou le gouvernail, voire la roue. On raconte qu'elle a tiré Servius Tullius de l'esclavage pour l'élever à la royauté...
La mythologie romaine évoque encore d'autres divinités, la plupart tournée vers la vie quotidienne. Dieu des semailles, Saturne, est fêté au cours des Saturnales ; Februs, lui, est le dieu des morts, il s'identifie au Pluton grec, et il règne sur les esprits des défunts. Beaucoup plus gais, Flore règne sur les fleurs, Pomone sur les arbres fruitiers et Vertumne, son mari sur les saisons.
Carmenta détermine la réussite ou l'échec des enfants à leur naissance, leur chance, leur malchance. Sous la forme

d'une vieille femme, Fides ou Bona Fides (la Bonne Foi) personnifie la parole donnée. Faunus, enfin, est une divinité agraire bienfaisante qui assure la fécondité et protège les troupeaux contre les loups. Barbu, la tête couronnée de feuillages, vêtu seulement d'une peau de chèvre, arborant la corne d'abondance, il hante montagnes et forêts, et se plaît au voisinage des sources. Il a, par ailleurs, le don de prophétie. Son principal sanctuaire, le Lupercal, se trouve sur le Palatin. Célébrées en février, les Lupercales sont destinées à procurer fécondité et prospérité. Faunus a été l'un des premiers rois (mythiques) du Latium : fils du roi Picus, lui-même fils de Saturne, transformé en pivert par la magicienne Circé dont il a repoussé les avances, il a inventé le pipeau et les lois (c'est-à-dire la musique et la justice).

Les « naturalisations »

Quelques grandes divinités (Jupiter, Mars, Vesta) et un grand nombre de dieux mineurs : la vie quotidienne à Rome occupe une place relativement mineure dans la religion de la cité toute entière mobilisée dans une volonté guerrière, impérialiste. L'Etat, la famille, la guerre étaient les principales préoccupations ; le reste semble avoir eu une importance secondaire. Aussi au VIIIe siècle, la mythologie grecque s'infiltrant dans la religion romaine n'y trouvera, outre Jupiter, Mars et Vesta, que des dieux anémiés. Elle leur redonnera vie et les « naturalisera » au passage. Les équivalences sont les suivantes : Zeus, Jupiter ; Héra, Junon ; Arès, Mars ; Poséidon, Neptune ; Héphaïstos, Vulcain ; Hermès, Mercure ; Athéna, Minerve ; Artémis, Diane ; Aphrodite, Vénus ; Dyonysis, Bacchus ; Déméter, Cérès. Quant à Apollon, dieu de lumière, il semble qu'il resta inaccessible aux Romains : ils l'intégrèrent à leur Panthéon en en faisant un dieu de divination.

Un dieu qui se châtre

L'influence grecque fut aussi à l'origine de l'apparition d'Atys, un dieu berger qui s'émascula volontairement pour échapper à l'ardente passion qu'il éprouvait pour Cybèle. (Les officiants de ce culte se livraient à des orgies au cours desquelles ils se châtraient.) De Syrie, vint le dieu de la fertilité Adonis, et l'invincible dieu soleil Sol Invictus. D'Egypte, le culte voué à Isis.

Un concurrent du Christ

Outre le judaïsme et son surgeon, le christianisme, l'autre influence la plus importante fut celle du dieu Mithra venu d'Asie Mineure. Cette religion est essentiellement masculine. Elle raconte l'histoire d'un héros (Mithra) qui abat un taureau pour apporter la fertilité à son peuple. C'est pourtant une religion à mystère, et elle est fondée sur une cosmogonie où le bien et le mal sont en lutte perpétuelle. Le mithratisme qui se développa avec succès dans une grande partie de l'Europe ne disparut qu'avec la victoire du christianisme dont il fut un concurrent sérieux.

TROISIEME PARTIE

L'EGYPTE

TROISIEME PARTIE
L'EGYPTE

I. L'OBSCURE LUMIERE DE L'EGYPTE

La connaissance des noms divins

Foisonnante, complexe, frôlant parfois l'incohérence mais aux accents toujours mystérieux, la mythologie égyptienne a considérablement évolué au cours des âges. A l'origine, chaque ville avait son dieu tutélaire, mélange de divinité et d'animalité, qui régnait sans partage sur les foyers et dans la cité. Boutho, à l'extrême nord, adorait une déesse à forme de serpent. A Mendès, un dieu à l'apparence de bouc, présidait aux affaires du monde. A Atfih, Hathor, la déesse de l'amour, prenait figure d'une très belle femme, mais des oreilles de vache perçaient sous sa perruque... Les rivalités politiques entre les villes, la volonté hégémonique de la plupart, expliquent dans une certaine mesure pourquoi, à l'instar du Pharaon, tel ou tel dieu a supplanté tous ses rivaux et a de ce fait modifié à son avantage la hiérarchie mythologique. Le dieu de la ville dominante est en effet le dieu de la religion officielle du moment.
La période historique commence en Egypte vers 3000 av. J.-C. A cette époque, le pharaon Ménès unifie le pays en laïcisant la géographie sacrée que les implantations des divers dieux tracent le long du Nil et dont la source remonte à la plus lointaine préhistoire. Le roi devient à la fois le chef de l'Etat et le pontife suprême, il réunit entre ses mains le pouvoir politique et le pouvoir sacerdotal. Possédant la connaissance des noms divins, il est investi par les puissances magiques qui ont créé l'univers et dont la mythologie narre l'histoire tout à fait vraie pour l'immense majorité des hommes et des femmes de ce temps-là.

II. LA CREATION DE L'UNIVERS

L'océan primordial

Au commencement, lorsque rien n'existait, il y avait le Chaos (Noun), l'océan primordial sans limites ni formes qui potentiellement contenait la création à venir. « Infini », « Néant », « Nulle Part », « Ténèbres », ainsi appelait-on ce Chaos, et il fallait bien le représenter, l'imaginer, le symboliser. On disait dans les sanctuaires qui bordaient le Nil ou qui s'enfonçaient à l'intérieur du pays, qu'il prenait la figure d'un homme barbu, ou d'autres fois qu'il était affublé d'une tête de grenouille, ou encore que c'était un scarabée qui brandissait le disque solaire... On le décrivait aussi avec le corps d'un serpent mais debout dans l'eau jusqu'à la ceinture et levant les bras pour maintenir en l'air la barque dans laquelle le soleil suivait son cours.
Noun, en tout cas, emplissait l'univers tout entier ; il se confondait avec lui. Immobile, éternel, ne connaissant nul remous, il ne faisait que demeurer identique à lui-même, et quatre fabuleuses divinités des deux sexes montaient la garde pour le défendre contre des agressions venues on ne sait d'où. Des eaux de Noun, surgit un jour Atoum, « celui qui est achevé », qui s'arracha à l'océan par un effort de sa seule volonté, ou par la magie de la parole prononcée. Pour se créer, pour se différencier de cette masse qui recouvrait tout, pour prendre forme et vie, il lui suffit de dire son propre nom.

Il lui suffit de dire son nom

Atoum a d'ailleurs plusieurs noms. En tant que « Seigneur de la limite », c'est un homme barbu très âgé et très vénérable qui se dirige à pas hésitants vers la ligne occidentale de l'horizon. (Il symbolise alors le coucher du soleil.) Atoum est hermaphrodite et, par une masturbation cosmique, son sperme zébrant l'espace d'un orage jamais égalé, il engendra le premier couple divin, Shou et Tefnout. On croyait parfois que « Celui qui était né par lui-même »

– encore un autre nom – avait été en gestation dans le sein de Noun sous l'aspect d'un serpent et que le jour où l'univers se résorberait, retournerait au non-être, réintégrant Noun, il redeviendrait un animal à sang froid...
Noun, l'originel indifférencié, la *matière* dirait-on aujourd'hui ; Atoum, l'*énergie*, la mythologie égyptienne retrouve l'équation fondamentale avec laquelle de tout temps les humains tentant d'appréhender la création du monde. Il restait pour pouvoir manipuler cette « équation », pour la faire jouer, à faire intervenir un élément qui, les unifiant, relève à la fois de la matière et de l'énergie. Ce fut le rôle de Râ, le soleil à son zénith, capable de moduler son intensité au cours des heures à venir.

Le Benben magique

Râ a surgi de Noun enfermé dans une fleur de lotus. On raconte aussi qu'il est apparu sous la forme d'un phénix. (l'« oiseau-benou ») et qu'il s'est posé au sommet d'un obélisque (la « pierre benben »). A Héliopolis, se trouvant au centre de la « colline primordiale », le temple de Râ détenait un objet sacré entre tous : c'était ce Benben dont les côtés recouverts d'or capturaient la mystérieuse lumière du soleil levant. Phénix, le symbole est transparent : l'animal ne cesse de renaître de ses cendres comme le soleil continue de succéder à la nuit...
Râ, le roi des rois, est le père de l'humanité et de toute créature vivante : les animaux sont nés de sa sueur et les humains de ses larmes. Un jour que l'œil de Râ s'était séparé de son propriétaire et qu'il livra une bataille à Shou et Tefnout qui voulaient le ramener au bercail, il versa des larmes de désespoir. Et c'est de ces larmes que sortirent les premiers humains. (« Larmes » et « humains » sont d'ailleurs homophones en Egyptien.)
Au début de l'histoire du monde, Râ régnait sans partage sur Couty Chesy. C'était le « Premier Temps », l'âge d'or, où dieux et mortels cohabitaient sur la terre. Jeune, en pleine forme, il gouvernait selon une étiquette très minutieuse. Il commençait par faire sa toilette, il prenait ensuite son déjeuner que lui servait l'étoile du matin toute poudrée de rosée, il quittait enfin la maison du Benben pour, dans toute sa gloire, traverser les 12 provinces de son royaume qui sont les 12 heures du jour. Les siècles s'ajoutant, cependant, aux siècles, Râ finit par perdre sa vigueur et il devint un vieillard assez ridicule. Les mortels se dirent « Sa Majesté se fait sénile, pourquoi le cacher ? Ses os sont d'argent, sa chair est d'or et ses cheveux de véritables lapis-lazzuli » et ils voulurent le détrôner. Râ

réussit à mater la révolte mais, pris de lassitude, il décida de se retirer. Il enfourcha la vache Nout qui le transporta dans les cieux tandis que, suspendus au ventre de cette dernière, les dieux se métamorphosèrent en étoiles.

La navigation du soleil

Le ciel et la terre, les dieux et les mortels, furent donc séparés et le monde – du moins celui que nous connaissons – fut créé. Râ (dieu solaire) abdiqua en faveur de Thot (dieu lunaire). Des montagnes soutinrent le ciel et circonscrirent la terre.
Râ désormais apparaît dans ces montagnes : il monte derrière Manou (la montagne de l'aurore) et, après avoir passé entre deux sycomores, il entreprend son voyage dans la « barque des millions d'années » dont l'équipage est composé d'autres dieux. Parmi les matelots les plus prestigieux se trouvent : Hou, la parole qui crée ; Sia, l'intelligence ; Héka, la magie, Horus qui se tient à côté du gouvernail ; Thot qui, debout à l'avant du bateau, anéantit les ennemis de Râ. La nuit, l'équipage de la barque solaire change : les âmes de tous les défunts prennent place à bord sous forme de lucioles.
La navigation de Râ ne va pas sans dangers. Apophis, le gigantesque serpent qui s'agite dans les profondeurs de Noun, tente tous les matins d'interdire le passage de la barque solaire.
La nuit, Râ se heurte encore à Apophis aidé cette fois-ci des dragons commandés par Aouf, le « soleil mort », mais il trouve une alliée en la déesse du temps qui s'écoule. Au moyen d'un mot de passe qu'elle est la seule à connaître, celle-ci ouvre les écluses permettant à l'heure suivante de s'écouler...

III. LES DIEUX ET LES HOMMES

L'inceste chez les dieux

On ne peut résumer le mythe de la création dans toute sa richesse. Parmi les personnages secondaires qui, occupant la scène un moment, finissent par donner un tour nouveau à la mythologie, Shou et sa sœur jumelle Tefnout, le premier couple divin, relancent l'action. Shou, c'est l'atmosphère – son nom signifie « soulever » –, à l'origine, comme tout s'enfonçait dans le Chaos, la terre (Geb) et le Ciel (Nout) se tenaient étroitement enlacés ; Râ qui jalousait cet amour ordonna à Shou de les séparer et de se glisser entre eux dans leur couche. Un autre mythe raconte, par ailleurs, que Shou avait soutenu la vache Nout quand elle transporta Râ au ciel. Cet effort, précise-t-on, avait provoqué des vertiges érotiques chez Nout.

Shou est un barbu qui, se tenant à genoux, se penche au-dessus de Geb et élève Nout en l'air. Les quatre plumes d'autruche qu'il porte sur la tête symbolisent les quatre piliers du ciel. Il passe également pour être la vacuité absolue (l'« être vide »), celui grâce auquel la virtualité absolue du Chaos est réellement devenue création. Un jour, dit-on, les fils d'Apophis, le serpent, ayant attaqué l'Egypte, Shou qui fut parmi ses défenseurs perdit la vue dans la bataille. Le malheur s'abattit sur lui. Son fils (Geb) s'éprit de Tefnout, sa propre mère, qu'il viola. Ce crime eut des conséquences catastrophiques : des tempêtes, des cyclones et des ténèbres s'abattirent sur le royaume.

Tefnout, la sœur et la femme de Shou, celle qui partage son âme avec lui, personnifie la rosée. Ce sont ses larmes – elles tombèrent sur terre alors qu'elle aidait son frère-amant à soutenir le ciel – qui donnèrent naissance aux plantes odoriférantes faisant d'un coin de désert un jardin paradisiaque. Tefnout est parfois assimilée à l'œil de Râ, dont elle s'échappa pour se réfugier dans le désert de Nubie en prenant l'aspect d'une lionne. Partis à sa recherche, Shou et Thot, déguisés en babouins, l'acculèrent à la Montagne du lever du Soleil...

Une ivresse bénéfique

Râ et Nout couchèrent ensemble et eurent beaucoup d'enfants, dont Hathor, la préférée de son père qui, comme Nout, fut une vache. Ayant eu des relations incestueuses avec son père, elle enfanta un fils, Ihy, le dieu de la musique dont la chevelure bouclée et le front étaient ceints de la double couronne des rois. Hathor était redoutable ! Durant son règne terrestre, Râ la chargea de mater ses sujets qui s'étaient rebellés ; elle s'acquitta de sa tâche avec férocité. Dans sa furie, elle prit l'aspect d'une lionne qui, une fois qu'elle eut goûté au sang, devint insatiable. Effrayé, Râ trouva un subterfuge pour la calmer. Il fit préparer une grande quantité de bière colorée de baies rouges et la fit répandre dans les champs au cours de la nuit. Le lendemain, Hatnor se réveillant, aussi furieuse et aussi destructrice que la veille, découvrit le liquide. Elle le but goulument, et ne tarda pas à être ivre. Cette ivresse eut un effet bénéfique : elle renonça à sa passion malsaine et reprit son apparence habituelle.

La dame du Sycomore

Hathor passe pour allaiter les Pharaons lorsqu'ils sont bébés. (Cela doit évidemment être pris sur le plan symbolique.) Elle préside aussi à la toilette des femmes et établit entre elles une sorte d'égalité dans l'amour.
Elle est encore la déesse du plaisir joyeux sans laquelle la vie ne vaudrait pas la peine d'être vécue. Mais en même temps, elle est la protectrice de celles qui vont accoucher et la déesse tutélaire des sage-femmes. On l'associe aux crues du Nil et à l'étoile Sirius et on la représente en Dame du Sycomore : sa tête de vache émergeant à moitié de l'arbre, elle accueille le défunt à son arrivé dans l'au-delà en lui versant de l'eau et en lui donnant de la nourriture...

Le bélier cosmique

On dit d'Amon qu'il a pondu l'œuf cosmique ; c'est le dieu de la virilité qui, ne résistant devant aucune femelle, ne s'embarrasse pas de morale familiale. Pourquoi le devrait-il ? Les personnages qu'il fréquente sont, comme lui-même, à peine singularisés, ils ne sont que les figures d'éléments cosmiques. On assimilera Amon plus tard au bélier (fécondité), puis au dieu de la guerre, et enfin à Râ lui-même. Ces métamorphoses sont les résultats d'épisodes dramatiques dont la cohérence nous échappe en partie. On sait toutefois que Shou lui ayant demandé de sortir de la cachette où il sommeillait de toute éternité, il décapita un bélier, se coiffa de sa tête et revêtit sa peau.

Amon préside aux saisons, il commande aux vents et aux nuées – le tonnerre, c'est sa voix quand il donne ses ordres –, il maintient enfin en vie toutes les créatures ainsi que la végétation. Il commande non seulement en haut, dans le ciel, mais aussi sur terre, puisqu'il est le père du pharaon. Les prêtres disaient que l'héritier du trône était conçu de par son union avec la reine, Amon prenant l'apparence du roi pour cette circonstance. (La naissance du Christ n'est-elle pas due également à la rencontre amoureuse de Dieu avec une mortelle ?)

La grande sorcière

Nout, c'est la grand-mère divine, qui, pour apparaître aux humains, prend l'apparence d'un vautour. On en fit parfois l'épouse d'Amon, et on l'appela « la grande sorcière » ou « la reine des cieux ». Les prêtres commémoraient avec faste tous les ans le mariage de Nout et d'Amon. Ils allaient chercher ce dernier dans son temple à Karnak et une longue procession de barques colorées suivait le cours du Nil en direction de Louxor où devait avoir lieu le mariage sacré, qui était un grand mystère auquel seuls les élus assistaient...

Akhetanon et Néfertiti

Aton, lui, est le soleil à son zénith, le père de la vie. Divinité tardive, se recoupant avec d'autres, il se trouva au centre de la religion fondée par Akhetanon, l'époux de la très belle Néfertiti. Le royal dévôt exigeait qu'on figurât le dieu sous la forme d'un disque solaire avec des rayons se dirigeant vers la terre. Akhetanon développa une philosophie universaliste et abstraite qui anticipa sur celle de Moïse. Mais ses motifs ne furent pas toujours purs d'arrière-pensées : il se considérait lui-même comme étant le seul médiateur entre le ciel et la terre.

Ancien dieu local, Ptah, le dieu que les sculptures représentent les jambes collées et les bras collés au corps, commande à la fécondité. Grand magicien, il est le seigneur des serpents et des poissons ; mais ses pouvoirs sont d'ordre spirituel. « Premier des artisans », mécanicien habile et ingénieux, tailleur de pierre émérite, ouvrier sur métaux, il devint de ce fait le patron des artistes. On disait d'ailleurs de ces derniers qu'ils étaient « les grands prêtres de Ptah ». On le représente debout sur le roseau qu'utilisait le métreur ou comme un homme momifié, la tête rasée avec des favoris. Son épouse Sek Met, la « puissante », symbolise, en revanche, la guerre, l'aspect redoutable, destructeur, de Râ, son père dont elle orne le front sous la forme d'un serpent. Elle monte la garde devant la tête du dieu solaire et crache du feu contre ses ennemis...

Les autres dieux

Hapi, le dieu du Nil autour duquel l'Egypte se construit, dispense la fertilité. Il arrose les pâturages où paissent les troupeaux de Râ, c'est-à-dire l'humanité, et, grâce à cela, il maintient l'ordre divin sur la terre. C'est un homme barbu, de couleur verte ou bleue, avec des seins de femme. Bien que nain, difforme et hideux, Bes est très populaire. Il apporte le bonheur au foyer et protège les nouveaux-nés. Il danse autour de la femme qui vient d'accoucher en jouant du tambourin et en déchirant l'air de ses couteaux. Il fait beaucoup de bruit, profère des menaces, provoque les rires, mais tout cela n'a pour but que de détendre l'atmosphère, de faire fuir les mauvais esprits, de dissiper l'angoisse. Toueris, la déesse hippopotame, lascive et grotesque, danse avec lui... Meshkenet et Shai, son époux, veillent sur la destinée du bébé qui vient au monde. C'est Shai qui accorde à chaque homme sa durée de vie et son genre de mort. Il incarne la chance ou la malchance mais aussi la liberté intérieure, l'individu pouvant modifier son destin en s'identifiant à Osiris, le dieu de la mort et de la résurrection.

IV. LA MORT ET L'AMOUR

La mort tenait une place importante chez les Egyptiens, cela non parce qu'ils n'aimaient pas la vie, ou qu'ils vivaient dans une terreur constante, mais à cause du rôle qu'elle jouait dans leur culture. Ils s'en faisaient une conception qui nous reste tout à fait étrangère et que nous avons, nous modernes, tendance à qualifier de morbide alors qu'elle était au contraire un moyen d'affirmer les valeurs de la vie dans un environnement hostile au bonheur. Les Egyptiens en effet ne semblent s'être préoccupés de la mort que dans le seul but de la dépasser et non pour s'y complaire comme on le croit souvent.

Osiris, dieu du royaume des morts

Osiris, raconte le mythe, fut à la fois le dieu qui régna sur le royaume de la mort en même temps que le créateur de l'humanisme. Le mythe veut-il, en jouant sur ce double clavier, nous signifier que, selon les Egyptiens, prendre conscience de la mort, du fait que nous sommes éphémères, constitue le premier acte de liberté ? Cela semble certain et la légende qui rapporte l'histoire d'Osiris est restée célèbre jusqu'à nos jours.

A l'origine, les hommes étaient des barbares sans foi ni loi qui pratiquaient l'anthropophagie. C'est Osiris qui leur enseigna la civilisation, il leur indiqua ce qu'il était bon de manger, leur apprit à cultiver la terre, leur apporta le blé, l'orge et la vigne. Osiris initia également l'humanité aux cultes qu'il fallait rendre aux dieux et aux lois auxquelles ils devaient se conformer pour vivre en commun. Il gouverna en souverain libéral qui préférait convaincre plutôt que réprimer, et ayant accompli sa tâche dans une Egypte pacifiée et prospère qui savait désormais réguler le cours du Nil et faire pousser les céréales, il décida de porter la bonne parole au reste du monde. Laissant son royaume en régence à sa femme Isis, assistée de Thot, le scribe royal, il partit, accompagné de nombreux musiciens, ses troubadours, qui appuyaient sa propagande par des hymnes qui ne laissaient personne indifférents.

Un guet-apens au ciel

Mais d'où vient Osiris ? On sait seulement qu'il est le fils de Nout et l'héritier de Râ et que, à sa naissance, les initiés entendirent une voix clamer : « le Seigneur de l'Univers vient d'accéder à la Lumière ». Son règne eut une signification cosmique et historique à la fois. Osiris est le père spirituel de tous les hommes. (Ceux-ci vivent de « son haleine et de la viande de son corps ».) On raconte qu'il aima Isis avant même d'être né, celle dont on dit que le « ciel occidental repose entre ses bras tandis que le ciel oriental file entre ses cuisses ». Isis fut mise au monde par Apit (c'est un nom de Nout) sous l'aspect d'une femme noire et rose, douée de vie et douce d'amour.

Quant à Thot, l'adjoint d'Osiris, représenté sous la forme d'un ibis ou d'un babouin, il est l'inventeur du langage. On l'appelle « le cœur de Râ » – c'est-à-dire la personnification de l'intelligence divine – ou sa « langue » symbole de la puissance créatrice. Pour le récompenser, Râ le désigna comme son ambassadeur dans le ciel nocturne, autrement dit lui permit de régner sur la lune. Scribe royal, secrétaire de Râ, Thot consigne également les paroles des dieux ; il transmit à Isis et à Osiris de nombreux charmes qu'il connaissait. Mais son amour de la vérité lui valut des déboires. En effet, Seth, le frère d'Osiris, l'ayant avalé, il fallut qu'il naquît une seconde fois en sortant cette fois-ci de la tête de son agresseur. Comment cela se passa-t-il ? Sachant Seth friand de laitue, on lui en fit manger mais on prit soin d'abord de l'assaisonner avec de la semence d'Horus, son père spirituel.

Seth était un personnage peu recommandable. Venu au monde avant terme en se frayant lui-même un passage dans les flancs de sa mère (est-ce le symbole de la fausse couche ?), il avait les yeux rouges ainsi que les cheveux. Belliqueux, jaloux, tyrannique, il montra ce dont il était capable lors du retour triomphal d'Osiris après son périple à travers le monde. Profitant des fêtes organisées dans tout le pays en l'honneur de son frère, Seth, aidé par la noire reine d'Ethiopie et 72 conspirateurs, l'invita à un banquet au cours duquel il présenta à ses invités un coffre construit aux mesures précises du roi. Sur le ton de la plaisanterie, il promit de l'offrir à celui qui pourrait confortablement s'y étendre. Les conspirateurs essayèrent sans succès. On persuada alors Osiris de tenter sa chance et dès qu'il fut à l'intérieur, on referma promptement le coffre, on le cloua, on le lesta avec du plomb et on le jeta dans le Nil.

Isis, la veuve éplorée

La nouvelle se répandit comme une traînée de poudre. Isis, quand elle l'apprit, se mit en deuil ; elle se coupa la moitié

de la chevelure et, en larmes, partit à la recherche du corps de son époux. Elle parcourut le pays, interrogeant ceux qu'elle rencontrait sur sa route ; des enfants finalement lui apprirent qu'ils avaient vu dériver le cercueil en direction de la mer. Une inspiration lui fit comprendre qu'il se trouvait à Byblos en Phénicie au pied d'un tamaris. S'étant remise en marche en toute hâte, elle finit par trouver l'arbre dont elle avait eu la vision, mais il avait, en poussant, complètement emprisonné le cercueil et Malcandre, le roi de Byblos, l'avait coupé pour en faire l'une des colonnes de son palais.
Désespérée, n'abandonnant toutefois pas sa quête, Isis s'introduisit au palais de Malcandre dont Astarté, la femme, venait d'accoucher d'un garçon. Charmée par l'odeur céleste d'Isis qui se faisait passer pour une servante, Astarté la nomma gouvernante de son enfant. La déesse se prit d'une telle affection pour le bébé qu'elle tenta de lui conférer l'immortalité en lui faisant sucer son pouce couleur de ciel. Un jour, hélas, la reine la surprenant sous la forme d'une hirondelle qui voletait autour du fameux arbre, se mit à crier. Cela rompit le charme. Isis dut avouer qui elle était mais le roi de Byblos, touché par un amour si fidèle, lui fit don de la colonne et d'un navire pour rentrer en Egypte. Elle abattit aussitôt le tamaris et dégagea le coffre, puis, en proie à une insupportable douleur, elle gémit si fort que, terrorisé, l'enfant en mourut sur le coup. La raison de ce violent accès de chagrin était qu'Osiris était mort sans qu'elle lui eût donné un fils qui le venge de Seth. Son malheur était si grand cependant qu'il lui permit par magie de devenir enceinte au moment où, ayant ouvert le cercueil, elle se pencha sur le cadavre. (Elle dut pour ce faire prendre la forme d'un milan.)

En quête de l'immortalité

Rentrée en Egypte, Isis se cacha dans les marais du Delta, elle voulait tenir Seth dans l'ignorance de sa grossesse et de la découverte du corps d'Osiris. Cela n'empêcha pas le tyran, un soir qu'il chassait au clair de lune, de retrouver par hasard le cercueil de son frère. Il entra dans une colère folle dont il ne se calma qu'après avoir découpé le cadavre en quatorze morceaux qu'il jeta dans le Nil.
Le lendemain, il ne restait plus à Isis qu'à reprendre sa longue quête. Elle retrouva tous les morceaux épars, sauf le sexe qui avait été mangé par un crocodile. Elle reconstitua le corps d'Osiris en lui remodelant un phallus et en joignant les morceaux. Ainsi, par la force de son amour, elle donna au dieu la vie éternelle. Osiris déjà emblème de la civilisation, par ce phénomène de mort et renaissance devint celui de l'immortalité.

V. LE LIVRE DES MORTS

Embaumer les morts

Le mythe est riche d'une sagesse qui se dévoile par symboles et paraboles. Celui d'Osiris établit une relation entre la prise de conscience de la mort et la civilisation, et entre ces deux éléments et l'amour. L'amour tel que le décrit la légende d'Isis et Osiris est une sorte de substance magique, créée par le désespoir de la déesse, qui permet aux membres de tenir ensemble, de constituer un corps, et à l'individu de devenir une unité. Les Egyptiens prenaient-ils le symbole au pied de la lettre ? Croyaient-ils vraiment pouvoir capter, immobiliser, cette substance en embaumant leurs morts ? Rien n'est moins sûr ! Les plus cultivés d'entre eux savaient distinguer entre religion et superstition.
Isis passait pour avoir inventé les rites et la pratique de l'embaumement, elle dut y recourir quand elle recueillit les morceaux épars du corps d'Osiris ? Mourir en Egypte permit depuis ce jour-là de s'identifier à Osiris et vivre de la sorte la passion du dieu. Il suffisait en effet de se faire embaumer dans les règles pour, sous certaines conditions, prendre place parmi les immortels. Les embaumeurs transportaient le cadavre dans une tente destinée à cet usage (la « maison d'or »), ils commençaient par le laver à l'eau du Nil, puis ils pratiquaient une incision dans son flanc gauche et prélevaient les organes, sauf le cœur, qu'ils mettaient dans quatre jarres (les canopes). Ils remplissaient le corps d'épices et, à l'aide de résines précieuses, ou de chaux vive pour les pauvres, ils le rendaient imputrescible. Ensuite, ils l'enroulaient de bandelettes, le décoraient d'amulettes et le plaçaient dans son sarcophage. Le cortège funéraire pouvait s'ébranler, les pleureuses gémissant de plus belle, et les prêtres psalmodiant à voix haute.

Un passeport pour l'au-delà

Pendant ce temps et si le rituel était méticuleusement respecté, l'âme du mort était censée avoir entrepris son

voyage dans l'au-delà, comme le rapporte le célèbre « Livre des morts ». Ce « Livre des morts » constitue un guide très convenable du mystérieux voyage de la mort, c'est aussi un recueil de conseils et d'injonctions au défunt qu'il doit, s'il veut arriver à bon port, affronter victorieusement de nombreux dangers. C'est au moment de mourir, croyaient les Egyptiens, c'est lors du passage entre l'ici et l'ailleurs, c'est dans ce court instant que l'éternité toute entière se rend présente. L'individu en effet réintègre sa source et celle de l'univers : il revit en une fraction de seconde les événements de sa vie personnelle et ceux du cosmos. Il part à la rencontre de lui-même et à celle des dieux. Les cataclysmes qui ont ébranlé la planète, la nébuleuse dont elle émerge à peine, son fabuleux avenir, tout cela il le vit ou revit en lui-même. Que le moindre individu retourne au non-être et c'est une partie de l'univers qui rejoint le vide. (Les humains sont vraiment les larmes des dieux comme le raconte le mythe de l'œil de Râ.)
« Le Livre des morts » fait allusion à de « redoutables secrets » qu'il est interdit de révéler, « car ceux qui n'ont pas été initiés ne peuvent pas connaître les choses cachées, ni la formule de la demeure cachée ». Décrit-il donc une expérience initiatique comme on les dispensait dans les temples ? La mort d'Osiris met-elle en scène une cérémonie, une sorte de baptême, au cours duquel le myste (l'initié) pénètre dans ses obscurités intimes pour renaître à la lumière ? Sur le plan psychologique, Seth symbolise-t-il le système neuro-végétatif, Osiris l'unité psycho-somatique et Isis l'inconscient ? C'est bien possible ! Initiation ou voyage dans l'au-delà, le processus reste le même : il s'agit de se délivrer de ses obscurités par l'amour. La scène du jugement des morts connue sous le nom de la « pesée des âmes », montre que le rituel est véritablement un exorcisme applicable à la fois sur terre et dans le monde de l'au-delà. Imbriquée avec la mort, la vie ne s'arrête jamais, pensaient les Egyptiens, il ne faut que lui frayer la voie de ce qui, en l'arrachant, sans cesse, l'attire vers son contraire. Râ, Nout, et tous les autres, les dieux ici deviennent des symboles de l'individu ayant atteint le cœur de son lumineux mystère, qui est aussi celui du monde.

L'ultime initiation

Le défunt, autrement dit l'être qui a atteint l'ultime initiation, s'il réussit à comparaître devant le tribunal suprême, dernière étape du voyage, arrive devant Osiris lui-même, lequel attend « son fils qui lui vient de la terre », avec bonté mais aussi avec rigueur. Osiris est assis sur son trône

dans la grande « Salle des Deux Vérités » ; enfermé dans un sarcophage, ce trône se dresse au sommet d'un perron qui symbolise la colline primordiale. (C'est sur la colline primordiale que Râ naquit pour entreprendre à l'origine son œuvre.) Le dieu est vêtu d'une robe de plumes (symbole de pureté) qui lui serre la taille étroitement, il porte la couronne et tient la crosse et le fouet des rois, ainsi que le sceptre, l'attribut divin. Son visage est peint en vert pour signifier la résurrection de la nature. Derrière lui se trouvent Isis et Néphytis ; devant lui, les quatre fils d'Horus, et Anubis.
Le procès peut commencer.
Le mort s'adresse d'abord à chacun de ses juges, il les appelle par leurs noms pour montrer qu'il n'a rien à craindre. Il se défend d'avoir commis le moindre péché et il tente de les convaincre en prononçant des conjurations magiques. On a longtemps cru que les Egyptiens pensaient qu'il était possible de tromper les dieux mais on est heureusement revenu de cette idée absurde.
Les formules magiques n'ont pas pour fonction de charmer les dieux mais d'exorciser ses péchés et bien passer l'épreuve. D'ailleurs, tous les défunts ne sont pas capables d'affirmer qu'ils ne sont pas coupables ; sous le poids de leurs fautes, certains d'entre eux succombent avant de pouvoir dire un mot.

Le jugement cosmique

Lorsqu'un mort réussit cette « confession négative » comme on l'a appelée, le tribunal change de président : Thot remplace Osiris. Au centre de la pièce se dresse maintenant une énorme balance surmontée par un babouin (effigie de Thot), à côté de laquelle se tient Maat, la déesse de la justice et de l'ordre du monde, ainsi qu'Anubis, le chacal ou le « chien d'Isis », qui observe les plateaux de la balance pour surveiller la régularité de la pesée. D'autres personnages groupés autour de la balance figurent des esprits liés au défunt lui-même : Mehkent, la déesse de la naissance ; Shai, la destinée, l'âme du mort elle-même sous forme d'un faucon ; Rénenet, la déesse nourrice. Ces personnages jouent le rôle de témoins à charge ou à décharge, Anubis devant en finale rendre le verdict.
Il place pour cela dans l'un des plateaux de la balance une représentation de Maat, ou une plume d'autruche et dans l'autre, le cœur du défunt. Dans le cas où celui-ci s'avère innocent, les plateaux se trouvent en équilibre. Le tribunal décide alors de ne pas jeter le mort en pâture à Ammout « Le grand dévoreur », un monstre composite

réunissant en lui le lion, l'hippopotame et le crocodile et qui surveille la scène dans l'espoir de dévorer le cœur du défunt. Maat, au contraire, revêt le juste de plumes, il est ensuite présenté à Osiris lui-même qui lui annonce la bonne nouvelle et demande qu'on apporte au nouveau venu de la bière et du pain.

Le mort est alors admis parmi les immortels. Il lui est donné une épouse selon ses vœux et une infinité de présents. Il devra cependant continuer de travailler et cultiver les terres d'Osiris mais il pourra le faire en se soustrayant à tout effort physique. Les « chaouabtis » (« répondants ») qu'il aura reçus lors de son enterrement, ces petites statuettes de pierre ou d'argile que l'on aura placées dans son cercueil, le remplaceront dès qu'il doit travailler.

VI. ISIS, LA NOIRE

Le mythe d'Osiris-Isis cristallise l'essentiel de l'Egypte, non seulement parce qu'il se décline en théologie et en rituels mais aussi parce qu'il exprime la métaphysique sur laquelle l'ancienne civilisation tenta de se fonder. Il finira au cours des âges par attirer à lui presque tous les autres mythes et par se les subordonner. Sa richesse semble inépuisable...

Isis au cachot

Après avoir embaumé la dépouille d'Osiris, Isis, hélas, tomba entre les mains du cruel Seth qui la jeta au cachot. Son emprisonnement fut pénible d'autant plus qu'elle était enceinte, mais il ne dura que le temps d'une gestation, car Thot par magie la délivra au moment même où elle éprouvait les premières douleurs de l'accouchement. Accompagnée de sept serpents qui la protégeaient contre les dangers, elle se réfugia dans les marais de Bouta. Il était temps ! Elle mit aussitôt au monde un fils, Horus, et sut ainsi qu'elle tenait enfin sa vengeance. La déesse, cependant, était très pauvre en ce temps-là, aussi pauvre qu'un mortel démuni – n'avait-elle pas perdu son mari, son trône, sa force ? Un jour qu'elle était allée mendier dans un village lointain – elle en fut réduite à cette extrémité ! – elle découvrit à son retour le petit Horus qu'elle avait caché parmi les roseaux en train de se tordre de douleur et de lutter contre la mort. Seth avait retrouvé leurs traces et comme il ne pouvait pénétrer dans les marais qu'un charme protégeait, il s'était métamorphosé en serpent venimeux et avait mordu l'enfant. Touchant alors le fond du désespoir, Isis implora l'humanité, lui demandant de venir à son secours. Les habitants des marécages, les plus pauvres d'entre les Egyptiens, les ouvriers, les vagabonds, les pêcheurs, accoururent, mais ils ne purent que verser des larmes, aucun d'entre eux ne connaissant le charme pour guérir le petit dieu.

Cela ne fut pourtant pas inutile. Forte de l'amour des humains, la déesse s'adressa à Râ, et sa prière parvint jusqu'à la « barque des millions d'années » qui s'arrêta devant elle. Thot en descendit et lui promit que la puissance de Râ serait à sa disposition. Au moment où la barque s'était arrêtée, la lumière avait complètement disparu. Les ténèbres continueraient de recouvrir l'univers, dit Thot, jusqu'au jour où Horus serait guéri.

La guérison d'Horus

Horus guérira et, devenu grand, il se battra contre Seth toujours métamorphosé en serpent. Il prendra la forme d'un bâton dont l'une des extrémités portera une tête de faucon et l'autre un fer de lance triangulaire. La bataille sera terrible, elle se déroulera dans toute l'Egypte et débordera en Asie, mais la victoire reviendra à Horus.
Horus prendra au cours des siècles figure d'envoyé d'Osiris sur la terre tel Jésus-Christ. (Certains auteurs rapprochent les quatre fils d'Horus des quatre Evangélistes.) Séparée de son époux et son fils l'ayant quittée pour guerroyer, Isis poursuivra son existence de veuve après avoir mis Héka, la magie, à son service. On raconte que, femme encore pleine de charme, se lassant de rester parmi les humains, elle désira régner sur le ciel en même temps que sur la terre. Comme Râ vieillissant perdait de la salive, elle modela avec de la poussière humectée de quelques gouttes de cette salive, une vipère qu'elle déposa sur le chemin du dieu des dieux. Mordu par surprise, Râ poussa un grand cri qui attira toute sa cour. Isis en profita pour s'approcher du souverain et lui dire sur le ton le plus innocent : « Un serpent t'a donc piqué. Est-il possible qu'une de tes créatures se soit retournée contre toi ! Laisse-moi donc venir à bout du venin par l'un de mes charmes. » Râ gémit de plus belle. « Ce n'est pas du feu, hurla-t-il, ce n'est pas de l'eau ; car je suis plus froid que l'eau et plus chaud que le feu, je sue par tous mes pores. Je frissonne. Mon œil tremble tellement que je ne peux plus voir le ciel. » « Dis-moi ton nom, père divin, reprit Isis. Un homme vit lorsque l'on prononce son nom. » Râ crut s'en tirer en ânonnant : « Je suis le créateur de la terre et de tout ce qui y vit. J'ai créé l'eau et le ciel et j'y ai installé l'âme des dieux. Quand j'ouvre les yeux, la lumière du jour apparaît sur les cîmes, quand je les ferme la nuit tombe comme une couverture sur le monde. Je donne le signal des fêtes de l'année, je fais le fleuve de mes mains. Je suis Khépri au matin, Râ à midi et Atoum le soir. » Mais Isis ne se satisfit pas de cette péroraison. Le pouvoir passait par la connaissance. « Non, dit-elle, je ne pourrai rien pour toi tant que je ne connaîtrai pas ton vrai nom caché. »
Râ n'avait plus le choix, il sentait déjà la mort paralyser ses membres. Se mettant alors à l'écart pour que les autres

dieux ne l'entendent pas, il murmura son vrai nom à l'oreille d'Isis en lui interdisant de le communiquer à quiconque sauf à son fils Horus...

Isis, déesse noire

Déesse noire comme la passion sauvage, mais tendre comme la rosée ou l'amour, Isis devint l'objet d'un culte fervent dans toute l'Antiquité. On procédait à des initiations par lesquelles on atteignait à l'immortalité et retrouvait les mystères de la vieille Egypte. Certaines églises, la cathédrale de Chartres par exemple, en recèlent-elles trace de nos jours encore, lorsqu'elles préservent dans leurs cryptes des Vierges noires ? Le thème central de la légende d'Isis est-il donc l'amour qui lui permit de ressusciter Osiris ? Ou bien son épopée de mère ? On la représente comme une femme portant sur la tête un croissant de lune, ou bien couronnée de fleurs de lotus et d'épis de blé, ou encore d'une corne d'abondance. On la sculpta souvent en train de donner le sein au petit Horus, son emblème étant alors le « tat » (nœud) qui symbolise le pouvoir de donner la vie.
Isis, c'est tout cela à la fois, et bien plus encore. A l'image d'une Vierge Marie sensuelle, disait-on, elle jetait un pont entre le ciel et la terre. Par l'épisode de la morsure infligée à Râ ne fit-elle pas pressentir au roi des dieux les douleurs que connaissent les humains et que son fils Horus subit jadis lorsqu'il fut la proie de Seth ?
Sans elle, les immortels figés dans leur gloire auraient-ils pu comprendre les hommes ? Sans elle, ces derniers, taraudés par l'angoisse, rêveraient-ils par l'amour d'échapper au néant qui les enserre ?

QUATRIEME PARTIE

SUMER

QUATRIEME PARTIE
SUMER

I. LA CIVILISATION COMMENCE A SUMER

Traversé par le Tigre et l'Euphrate qui l'enrichissaient de leurs alluvions grâce à un ingénieux système d'irrigation, connu sous les noms de Mésopotamie, de Babylonie ou de Chaldée, l'ancien pays de Sumer coïncidait approximativement avec l'Irak actuelle. Des techniques évoluées pour l'époque, une organisation sociale ouverte et une culture de très haut niveau ont contribué à la réputation de Sumer où la Bible localisait le Paradis. C'est ici d'ailleurs, dans cet oasis perdu en plein désert, que l'archéologie moderne situe le berceau de la civilisation.
Le peuple sumérien, qui a bouleversé la Mésopotamie, est apparu sur la scène de l'histoire au IVe millénaire av. J.-C. On ne sait exactement encore d'où il vint, on est sûr seulement qu'il ne fut ni aryen ni sémite. Etana, Meskingshu... on connaît les rois fondateurs de la première dynastie dont les sièges successifs furent Ur et Uruk. (Le patriarche Abraham fut, paraît-il, citoyen de l'une de ces cités.) L'ultime roi de cette lignée Uruinimgina (vers 2350) réforma l'Etat en restreignant le pouvoir de la bureaucratie, en réduisant les impôts, en châtiant sans pitié la corruption et en donnant des droits aux plus démunis. Sous son règne, pour la première fois dans l'histoire de Sumer, apparaît le mot « liberté ».
Les Sumériens ont inventé vers 3000 un système d'écriture, le premier connu, qui a influencé le hiéroglyphe égyptien, lequel lui est postérieur. Nous possédons donc une foule de renseignements sur leur littérature tant profane que sacrée. La cosmogonie sumérienne a constitué la véritable assise de la spiritualité de tout le Proche-Orient. Au commencement, on retrouve un Océan primordial qui a

accouché de l'univers ; le ciel étant une voûte se posant au-dessus du disque plat de la terre, lui-même flottant sur un « abîme d'eau douce ». Dans ce cosmos où les dieux évoluent, où ils s'aiment, se jalousent et s'entredéchirent, l'homme ne représente pas grand-chose, mais la vie pourtant mérite d'être vécue.

II. LA CREATION, L'INCESTE ET LES ORACLES

Le ciel, la terre et le vent

Au-dessus de tous les autres, source suprême de l'ordre cosmique, Anu, le Ciel personnifié, trône en des hauteurs vertigineuses, entouré de sa milice étoilée. Il est évidemment inaccessible aux mortels ; seuls les héros, comme Etana qui chevaucha un aigle-esprit, peuvent entrevoir fugitivement son aveuglante brillance. Créateur du ciel et de la terre (Ki), il a épousé cette dernière. Il la trompera avec Inana dont il finira par faire son épouse légitime.
Anu se dédouble pour envoyer sur terre Enlil comme on envoie son régisseur faire le tour de ses propriétés. C'est un seigneur redoutable cet Enlil ! Dieu du vent, des tempêtes et des calamités, il s'avère impitoyable. Ses sept titres témoignent de sa puissance : on l'appelle « seigneur du pays » (il règne sur terre), « seigneur de la parole » (celle d'Anu), « roi des hommes à tête noire », « héros qui de lui-même a des visions », « seigneur des armées »... Sa parole est une « tempête qui se lève », lui-même est « un violent orage qui étend le pays comme de la farine, la moud comme du grain ». Son rôle pourtant s'avère parfois bénéfique, car afin de faire sortir de terre la semence du pays de Sumer, il décida de séparer la terre du ciel. Se glissa-t-il dans la couche d'Anu et de Ki, entre eux, pour ce faire ? Fut-ce une décision personnelle ? Ou en avait-il reçu l'ordre du dieu suprême ? Le mythe ne nous le dit pas.

Enki séduit ses filles

Enki, lui aussi était ambivalent mais doué d'une plus grande sagesse. Son union avec Ninhursag, la montagne cosmique, avatar de Ki, avait donné naissance à l'agriculture mais cette dernière ne se trouvait pas à l'abri des catastrophes. La plus grave de celles-ci ? Les malédictions de Ninhursag chaque fois que son époux séduisait ses propres filles. Ces malédictions avaient pour effet d'obliger Enki à descendre

aux enfers en laissant derrière lui la terre désolée et il fallait que les autres dieux interviennent pour les réconcilier... Enki, le dieu qui donnait la vie, était vraiment le seigneur de l'eau. Un jour qu'il aperçut l'Euphrate, il se mit debout sur ses pieds, comme un taureau impatient et, dressant son pénis, il éjacula ses orages. On racontait aussi qu'il se retirait parfois dormir dans son palais sous la mer et que nul n'avait le droit de le réveiller, mais que quand il s'intéressait aux mortels, il était bon envers eux, leur enseignant l'art de construire des maisons et des villes, l'agriculture, l'artisanat et bien d'autres choses encore.
A côté d'Anu qui, un peu plus tard, mit au monde l'Eté et l'Hiver pour donner ses couleurs au temps, et d'Enlil et Enki qui ensemble façonnèrent les deux déesses-sœurs Lahar (brebis) et Ashman (céréale), il y eut – et c'est ainsi que l'œuvre de création fut à peu près complète – Utu (ou Shamash) le soleil qui, sortant chaque matin de la « Grande Montagne », suit le chemin qu'il s'est tracé de toute éternité, puis passe la vaste mer dont même les grands dieux ignorent la profondeur, et Nanna (ou Shin) la lune, seigneur de la végétation, censé « engraisser l'étable et les parcs à bestiaux ». Utu était adoré par les corporations et les femmes en couches qui l'imploraient dans leurs douleurs. Il deviendra ultérieurement le dieu des oracles et du droit, ressemblant quelque peu à l'Apollon grec...

III. L'AMOUR (AUSSI) COMMENCE A SUMER

Comment la belle Ninlil fut abusée

La mythologie sumérienne, bien plus que toute autre est empreinte de sexualité qui parfois s'exprime crûment. Viols, sadisme, masochisme... en sont les thèmes fréquents, symbolisant de la sorte la cruauté de l'univers. Une après-midi, par exemple, Enlil surprend au bain la belle déesse Ninlil, il s'en éprend sauvagement, mais, repoussé, il ne résiste pas et la viole. (Elle enfantera à la Nanna, la lune.) Banni par les autres immortels pour son impardonnable bestialité, Enlil est expulsé dans le monde inférieur, mais Ninlil éplorée le suit pour lui demander réparation. Comme l'ombre devient de plus en plus épaisse, Ninlil perd de vue son agresseur. Quand elle le rencontrera au détour d'un sentier, elle ne le reconnaîtra pas : Enlil, en effet, vient de changer de forme, il s'est métamorphosé en gardien des enfers. Ce « gardien » interroge la déesse. « Qu'es-tu donc venue chercher sur terre ? » lui demande-t-il. « Le père de mon enfant », gémit-elle et, en pleurant de plus belle, elle narre sa pitoyable aventure. Le gardien qui l'écoute sans rien dire marmonne : « Puisse mon prince héritier aller au ciel et mon autre semence au monde inférieur. » Ninlil toute songeuse ne comprend rien à ces paroles, d'autant que l'autre en profite pour lui déclarer avoir reçu l'ordre d'Enlil lui-même de la séduire. Se sentant défaillir en entendant prononcer le nom de son agresseur, ne cherchant qu'à se soumettre, la malheureuse n'hésite pas à se donner. Elle tombe enceinte de nouveau, mais l'histoire ne s'arrête pas là. Enlil est insatiable, il se déguise en « homme du fleuve du monde inférieur » puis en « homme du bateau » (une image de passeur d'âmes, probablement), il lui fait deux autres enfants. Ces deux derniers règneront sur le royaume des morts. Quant à Nanna, on raconte qu'accostant, au terme de ses pérégrinations, en bateau à voile à Ur au quai de Nippur, elle obtiendra après de longs palabres avec le commandant de la garnison la permission d'entrer se reposer dans la ville. Là grandes seront sa joie et sa surprise ! Enlil en personne l'accueillera et lui offrira un festin de noces...

Le roi couche avec la prostituée sacrée

La première fois qu'en jeune fiancé, le dieu Dumuzi (ou Tammuz) rend visite à la déesse à Inanna (ou Ishtar), il a en guise de présents du lait, de la crème et de la bière ; Inanna pourtant hésite à le faire entrer. Il faut que sa mère l'y encourage en lui expliquant que les amants remplacent père, mère et frère pour leur maîtresse. La déesse se laisse convaincre. Elle prend un bain, se frotte d'onguent fin, met autour de son cou son collier de lazulite, endosse son magnifique manteau royal, serre son sceau à la main et attend le cœur battant. Dumuzi pousse la porte et, la voyant si belle, hésite un moment sur le seuil « la joie au ventre ». Touchée, Inanna l'appelle près d'elle...
Le mariage est censé se dérouler en même temps au ciel et sur la terre dans le temple de la déesse où le roi en habits de fête s'est rendu en bateau et où une prostituée sacrée se substitue à Inanna. (L'acte d'amour entre le roi et la prostituée est censé magiquement inciter Inanna et Dumuzi à faire l'amour et apporter ainsi la vie aux terrestres [1].) La mythologie sumérienne est sans équivoque, nombreuses sont dans le conte les images érotiques : l'amant est censé « remplir d'eau » (de vie) le « toit terrasse » et la « citerne » de sa maîtresse, il « laboure » la ceinture de pierres fines que celle-ci porte en parure autour de son corps... Les deux jeunes gens qui, au clair de lune, allèrent, le soir de leur rencontre, la main dans la main, ne sont maintenant que désir et passion...

L'amour et la mort

L'amour ne va pas sans la mort, de multiples légendes le rappellent dans la plupart des civilisations ; mais ici dans le récit sumérien, ce n'est pas parce qu'il serait une passion néfaste que l'amour conduit à la mort. N'est-ce pas lui qui, malgré ses tempêtes, réunit le monde des dieux et celui des hommes ? Le désir d'un tel lien ne peut être tout à fait mauvais... Un jour, Inanna décide cependant de descendre en Enfer, au « pays sans retour ». Pour quelle raison ? Il semble qu'elle ne soit plus entièrement comblée de régner, outre sur la terre, sur le ciel où, nouvelle épouse d'Anu, elle a détrôné Ki. Dumuzi se révèle-t-il donc un piètre amant ? Pas du tout. Les amoureux s'opposent souvent avec violence, et la déesse rappelle méchamment parfois à Dumuzi que si Utu et Nanna n'étaient pas intervenus pour qu'elle lui ouvre sa couche, il aurait été rejeté sur les chemins sans même un toit pour s'abriter, mais cela n'empêche pas que leur passion s'exacerbe de jour en jour. Après les disputes, dit le récit, les mots qu'ils ont prononcés deviennent des mots de désir, leur différend même les poussant à l'attrait du cœur. Inanna serait-elle jalouse des mortels ? La terre est si belle quelquefois avec Enté (l'Eté) qui fait mettre bas les brebis, porter les fruits aux arbres, pousser Ashman (les céréales) comme une charmante jouvencelle et l'hiver qui fait venir les riches moissons qui ensuite s'amoncèlent dans les greniers, qui pousse à fonder habitacles et agglomérations et à élever des temples comme des montagnes.

Inanna veut vaincre l'enfer par amour

La raison du départ d'Inanna est plus simple que tout cela, elle est aussi plus grandiose. La déesse du ciel, l'amour personnifié, veut se risquer en enfer pour le faire disparaître. Un tel désir, dira-t-on, relève de la présomption la plus folle, il n'empêche qu'il soit la plus belle faveur qu'une divinité puisse faire aux mortels. Inanna quitte donc le ciel et la terre avec les cités fameuses sur lesquelles elle exerce sa souveraineté, après s'être attaché au côté les « 7 mystères », avoir mis sa couronne, ses colliers de lazulite, son bracelet d'or, ses cache-seins d'argent, son manteau royal et maquillé ses yeux de fard. Elle sait qu'Ereshkigal, sa sœur aînée, la déesse d'en bas, n'hésitera pas si elle la capture à la laisser pourrir dans un cachot ; aussi pour le cas où les choses tourneraient mal, elle a donné des instructions à Ninshubur, sa fidèle servante, qui lui fait d'abord un bout de conduite. « Si je suis faite prisonnière, lui a-t-elle recommandé, lacère-toi tes beaux yeux, lacère-toi ta bouche sensuelle, lacère-toi ta croupe provocante ; telle l'une de ces pauvresses qu'on rencontre dans la rue. Ne te vets que d'un pan d'étoffe, puis va plaider ma cause auprès des autres dieux... »

Arrivée aux portes de l'enfer ; Inanna fait du grabuge, elle tambourine, chante comme une ivrogne et crie : « Ouvre, portier, ouvre. Ouvre, Béti, ouvre-moi. Je veux entrer en personne. Je suis Inanna, de là où le soleil se lève. » Méfiant, Béti lui demande à quoi rime un tel chahut dans ce lieu respectable. Elle répond sans hésiter qu'elle est de la famille et qu'elle est venue assister aux funérailles de l'époux de sa sœur. Aussitôt, lui ordonnant d'attendre un moment, Béti court en avertir sa maîtresse. Comprenant les desseins de la déesse du ciel, celle-là, la redoutable reine des enfers, entrant dans une rage folle, décide de neutraliser l'intruse. Mais comme personne n'a pouvoir sur elle tant qu'elle demeurera sous la protection de ses emblèmes talismaniques, Ereshkigal donne au portier en chef du monde d'en bas l'ordre de la dépouiller de ses parures. Déférant aux désirs de sa souveraine, le portier tire le verrou de la première porte et au moment où Inanna en franchit le seuil, il lui ôte sa couronne. « Que signifient ces façons ? proteste la déesse. Silence, lui répond-il. Les Mystères du monde d'en bas sont irréprochables. » Ensuite, Inanna se soumettant à chaque fois, passe d'autres portes, il y en a 7 en tout, et dans un strip-tease cosmique, on la dépouille peu à peu de tous ses attributs. « Son corps maté, dépouillé de ses vêtements, est alors amené devant Ereschkigal. » Cette dernière prend place sur son trône, et formant un cercle, les sept juges – décidément tout chez les dieux va par sept – prononcent leur condamnation. Forte de la sentence, la reine des enfers lance sur la déesse de l'amour un regard meurtrier et profère un cri de damnation. « Inanna ainsi maltraitée est changée en cadavre, et ce cadavre suspendu à un clou. »

Renaissance d'Inanna

Entre-temps, Ninshubur la fidèle servante d'Inanna, après avoir vainement attendu trois jours et trois nuits, se lamentant et se griffant de désespoir, va visiter tour à tour les dieux, comme sa maîtresse le lui a demandé. « O vénérable, dit-elle à chacun, ne laisse pas périr ta fille dans le monde d'en bas, ne laisse pas mêler ton métal précieux à la terre du monde putréfié. » Mais Enlil, Nanna et Eridu restent cois, ils n'ont aucune tendresse pour cette ambitieuse qui, défiant les lois divines, prétend régner en enfer comme au ciel et sur la terre. Seul, Enki s'inquiète du sort de « sa fille ». Or Enki possède la « Nourriture de vie » et la « Boisson de vie » qui peuvent ranimer la déesse, mais celle-ci se trouve loin de son champ d'action et d'ailleurs même si on tentait de la rejoindre, la reine des enfers ne le tolérerait pas. Enki est heureusement le plus rusé des dieux : il élabore un plan astucieux pour forcer Ereshkigal à abandonner le corps de sa sœur. Il crée à partir de la crasse de ses ongles deux homosexuels, Kalatur et Kurgara, qui pourront sans difficulté accéder aux enfers. Enki les avertit qu'ils trouveront Ereshkigal au lit et souffrant de couches. Il leur faudra feindre la compassion, la plaindre et gémir avec elle comme s'ils vivaient de son propre mal. Flattée de l'intérêt qu'ils lui auront témoigné, elle leur promettra en retour tout ce qu'ils lui demanderont. Ils l'obligeront à tenir parole par un serment solennel. On leur présentera ensuite un repas d'hospitalité, mais ils refuseront, réclamant à sa place « le cadavre suspendu au clou » sur lequel ils verseront Nourriture de vie et Boisson de vie.

Sitôt dit, sitôt fait, l'espace-temps chez les dieux parfois se rétrécit infiniment. Les deux chargés de mission d'Enki réussissent, et Inanna remise sur pied est prête à se délivrer des chaînes de la mort. Cependant elle n'est pas quitte pour autant : la loi veut que si un être quitte le monde d'en bas, il doive trouver un autre qui prendra sa place. La déesse ne peut que s'incliner ; on ne l'autorise à partir que sous la surveillance de démons, qui la ramèneront de force si elle manque à sa parole. « Et tandis qu'Inanna remontait du monde d'en bas, dit le mythe, des démons l'escortaient. Celui qui ouvrait le chemin, sans être lieutenant, portait un bâton, ceux qui l'accompagnaient, sans être hommes de garde, portaient à leur ceinture une masse d'armes. » Ces démons sont incorruptibles : « Ces escorteurs dédaignent nourriture et boisson ; ils ne mangent pas la farine des sacrifices ni ne boivent l'eau versée en libation. » Inanna doit donc désigner au plus vite une divinité de sa dépendance pour se substituer à elle. Ninshubur est la première sur laquelle elle tombe ; celle-ci voyant sa maîtresse en si affreuse compagnie se vet d'un misérable vêtement de deuil et, folle de chagrin, elle se roule dans la poussière. Les gallas aussitôt lui mettent la main au collet. « Non ! s'écrie Inanna. C'est mon assistante experte aux discours, c'est ma messagère diligente. Elle n'a jamais failli à mes ordres. » Déçus, les gendarmes de l'enfer s'inclinent, et ils suivent la déesse à la résidence du dieu Shara qui, découvrant le terrifiant cortège, s'endeuille à son tour. « Non ! C'est mon ménestrel, mon manucure et mon coiffeur. Je ne vous le cèderai à aucun prix. » La troupe visite ensuite la résidence de Lulal, capitaine des gardes de la déesse, et les démons essuient un nouveau refus. Finalement, tout le monde arrive à Uruk, la cité d'Inanna et à son quartier sacré, Kulaba. Ils tombent sur Dumuzi, et le spectacle afflige alors l'assistance. Dumuzi, insouciant du sort de sa maîtresse, est confortablement installé sur une « estrade majestueuse » sans pleurer ni se lamenter le moins du monde. Son attitude, son égocentrisme, semble attendre une cour de courtisanes, irrite à tel point la déesse qu'elle le livre aussitôt aux gallas.

La mort de Dumuzi

S'étant emparé de Dumuzi, les démons le ligotent en ricanant et le traînent en hurlant vers le royaume des morts. Le malheureux jeune homme comprend qu'il est perdu, il tente de s'en sortir en appelant à l'aide Utu, le frère d'Inanna. Le soleil reçoit ses larmes, il lui change les membres, lui altère les formes et le transforme en serpent capable de glisser entre les mains de ses agresseurs. Filant comme un faucon qui poursuit un oiseau, Dumuzi se réfugie chez sa sœur Geshtinanna qui, la surprise passée, l'enveloppa de son « vêtement » (de sa compassion) et psalmodia une complainte amère. Comme le soir tombe, il s'endort et fait un songe prémonitoire lui annonçant sa mort et que sa sœur interprète. Dumuzi s'enfuit au moment où les gallas arrivent chez Geshtinanna qu'ils torturent horriblement en vain pour qu'elle leur révèle l'endroit où il s'est caché. Ils finissent par le trouver en sa bergerie, le tourmentent, le font choir dans un trou qui conduit aux enfers. Un des démons, par mégarde, brise une jarre de vin qui, en éclatant, éclabousse toute la steppe cependant qu'une nuée de sauterelles s'abat sur le malheureux. Inanna alors confectionne un cercueil, et on recouvre le cadavre d'une étoffe luxueuse. Le mort est veillé par un chien et un corbeau...

Inanna d'ailleurs regrette son amant, et elle prend le deuil. Comme elle veut lui témoigner qu'elle lui a pardonné, elle agrémente le lieu de sa sépulture, c'est-à-dire la contrée désolée où le maintenait son état de pasteur, en inventant l'outre, indispensable au désert et quand Geshtinanna vient lui dire à la fin qu'elle désire remplacer son frère, elle prend la sœur et le frère par la main et leur apprend qu'ils iront à tour de rôle, tous les six mois, au royaume d'en bas.

1. Cette cérémonie rituelle a lieu tous les ans au printemps.

IV. L'EPOPEE DE GILGAMESH

Le mythe d'Inanna et de sa descente aux enfers tourne symboliquement autour du mystère de l'amour physique dont la meilleure image pour les Sumériens a été l'exubérance de la végétation sur terre et la conjonction des planètes dans le ciel. Les Hébreux ne s'y sont pas trompés, ils reprendront, presque au mot à mot parfois, certains chants composés en l'honneur de la passion Inanna-Dumuzi pour former leur fameux « Cantique des Cantiques » attribué (à tort) au roi Salomon. Ishtar ou la Sulamite, Dumuzi ou Salomon, le thème est le même, c'est celui de « l'amour qui veut être plus fort que la mort ». Isis, l'Egyptienne, elle aussi, transmuant son désespoir en vie, réussit à vaincre la mort, mais avec l'Egyptienne, le récit est plus austère, plus spiritualisé, tandis qu'avec Inanna ou « le Cantique », il prend les couleurs de l'érotisme. Les Sumériens sont d'ailleurs revenus à plusieurs reprises sur ce thème de l'amour, ou de l'amitié, qui veut terrasser la camarde. L'épopée du héros Gilgamesh raconte une quête d'immortalité.

La prostituée et le sauvage

Enfanté par la déesse Arourou, la génitrice, Gilgamesh est « dieu pour ses deux tiers et homme pour le tiers restant ». Semblable à un taureau sauvage, d'une force incomparable et d'une singulière beauté, il règne sur Ourouk dont les habitants vivent dans la crainte, car il ne laisse pas une fille vierge à sa mère ni un fils à son père. Anu, le Très Haut, ayant entendu les récriminations de ces pacifiques citoyens, demande à Arourou de créer un rival digne de Gilgamesh afin qu'ils luttent sans cesse ensemble et qu'Ourouk respire un peu. Arourou aussitôt conçoit en elle une image d'Anu (c'est-à-dire fait l'amour avec Anu), elle se lave les mains et prend une poignée d'argile qu'elle lance dans la vaste plaine. Enkidou, tiré de la substance de Ninourta (la violence) vient au monde. Son corps est couvert de poils, il a une chevelure de femme, il vit en symbiose avec les bêtes sauvages.

Un beau matin, un chasseur le rencontre au moment où il s'abreuve en compagnie des animaux. Il prend peur – « son visage devient celui d'un homme qui a fait le long voyage » – et il court s'en ouvrir à son vieux père. « Cet homme étrange que j'ai vu, lui dit-il, est d'une vigueur peu commune, il a détruit les filets que j'ai tendus, il a aidé les bêtes à s'échapper de mes mains ; en un mot, il m'empêche de chasser. » Comprenant que l'homme sauvage tient à la fois du dieu et du primitif, le père conseille à son fils d'aller en parler à Gilgamesh qui, malgré tout, leur doit protection. Mis au courant, celui-ci n'hésite pas, il donne au chasseur une prostituée sacrée pour apprivoiser Enkidou. « Lorsqu'il viendra s'abreuver avec sa harde, elle enlèvera ses vêtements, dévoilera sa nudité et les charmes de son cours. En la voyant, il sera attiré par elle ; il deviendra à la fin son captif, et sa harde qui a grandi avec lui ne le reconnaîtra plus. » Emmenant la courtisane, le chasseur prend la route qui se perd dans la plaine. Au troisième jour, dit le récit, ils découvrent leur proie à un point d'eau.

La prostituée dévoile alors ses seins, et Enkidou se réjouit des charmes de son corps. Elle ne se dérobe pas, au contraire ! elle provoque en lui le désir. Elle se met toute nue et il tombe sur elle ; « elle apprend à cet homme sauvage et innocent ce que la femme enseigne ». Il la possède sept nuits durant et finit par s'attacher à elle si bien que lorsque, rassasié d'amour, il lève les yeux vers ses compagnons, ceux-ci ne le reconnaissent plus. Les gazelles se détournent de lui, les bêtes sauvages le fuient, l'étranger s'installe. Enkidou est sans force. Dès qu'il se lève pour suivre sa harde, ses genoux le trahissent, mais il sent que son cœur et son esprit se sont épanouis.

Le combat des héros

C'est ce qu'attendait son initiatrice pour qui le conduire vers la civilisation devient un jeu. A l'évocation de la ville d'Ourouk et de son roi Gilgamesh, le héros se réjouit : depuis toujours, dit-il, il attendait un ami. Cela le fait jubiler. « Je vais le défier, s'écrie-t-il. Je vais le provoquer. Je veux crier par tout Ourouk : c'est moi le plus fort. Oui, je suis le plus fort. » Au même instant, à des centaines de kilomètres de là, Gilgamesh raconte à sa mère Arourou un rêve qu'il a fait la nuit passée. « Mère, dit-il, j'ai fait un rêve. Je marchais avec fierté parmi les héros quand une étoile du ciel d'Anu est tombée à mon côté. J'ai voulu la déplacer sans pouvoir. Elle était si lourde ! Autour de moi, les gens du pays se sont assemblés pour lui baiser

les pieds. Voyant cela, je me suis pris d'amour pour elle. Je me suis alors penché sur elle comme on se penche sur une femme et j'ai réussi à la soulever pour la déposer à tes pieds. » Arourou, l'avisée, l'omnisciente, n'a aucun mal à interpréter ce songe. « Cette étoile qui est tombée sur toi comme un héros du ciel d'Anu, cette étoile que j'ai rendue ton égale puisque tu l'as déposée à mes pieds et que je n'ai rien dit, cette étoile que tu as aimée comme on aime une femme, représente un compagnon fidèle et plein de forces qui se tiendra toujours à tes côtés... »
Au même moment où Arourou explique son rêve à Gilgamesh, la prostituée déchire son vêtement en deux : une partie pour couvrir Enkidou, l'autre sa propre nudité. Elle prend le héros par la main comme une mère son enfant, elle l'emmène vers les huttes des bergers où elle lui fait manger du pain et boire de la boisson forte. Comme son esprit se libère, Enkidou frotte avec de l'huile son corps velu, il met un vêtement d'homme et il devient le protecteur des bergers... Il entre ensuite à Ourouk alors que Gilgamesh va coucher avec une prostituée sacrée pour célébrer le rite d'Inanna. Il se jette sur lui, et les deux hommes tels des taureaux sauvages luttent, détruisant tout autour d'eux. Si violente est-elle, leur colère finit pourtant par se calmer. Les larmes aux yeux, les deux hommes tombent, à la fin, dans les bras l'un de l'autre.

L'amitié multiplie les forces

Les deux héros, réconciliés et devenus inséparables, auraient pu vivre heureux s'ils n'avaient continué de rêver plaies et bosses. A peine calmés, Gilgamesh parla à son ami d'un puissant génie, Houmbaba, maître de la forêt, adversaire à leur taille. « Tuons-le ensemble, propose-t-il, afin de détruire le mal sur la terre. » Cette nouvelle aventure n'eut pas l'air de plaire à Enkidou. « Quel est celui qui oserait pénétrer dans la forêt des Cèdres où se cache Houmbaba ? demande-t-il. Son mugissement est celui du déluge ; sa bouche c'est le feu et son souffle, la mort certaine. Comment pourrions-nous entrer dans cette forêt ? Enlil l'a nommé son gardien et l'a doté des sept épouvantes. » « Je veux pourtant y aller, répliqua Gilgamesh. Une hache me suffira pour le combat. Toi, si tu as peur, reste ici. J'irai tout seul. » Et voyant que son compagnon commençait à être ébranlé, il ajouta que seuls les dieux étaient immortels, il ne restait aux humains qu'à se faire un nom qui passe les siècles. Que vaut la crainte de la mort au regard de l'héroïsme ?
Ayant finalement réussi à convaincre son ami, Gilgamesh donna des ordres aux partisans d'Ourouk pour qu'ils leur

fassent fondre de belles et bonnes armes. Les habitants de la cité aussitôt s'assemblèrent, et ce fut en vain que les plus vieux tentèrent de dissuader les héros. Quand tout fut prêt, Gilgamesh demanda à Utu sa bénédiction mais un présage défavorable se manifesta qui fit couler des larmes sur les joues du héros sans qu'il revint toutefois sur sa décision. Gilgamesh se refusait de passer dans son lit le reste de sa vie...
Au bout de trois jours, le récit dit que les héros accomplirent leur parcours en marchant d'un très bon pas, comme s'ils avaient « des ailes au talon », au bout de trois jours, au coucher du soleil, Gilgamesh et Enkidou creusèrent un puits au sommet de la montagne. Ils y versèrent de l'eau fraîche et y déposèrent de la nourriture, en implorant de la montagne un songe de prédiction heureuse. La nuit, un rêve en effet visita Gilgamesh et augura de la protection d'Utu. Le lendemain à l'aube, ils se remirent en marche et firent une nouvelle fois en trois jours le parcours de un mois et demi. Leurs pas les portèrent à la fin dans la forêt des cèdres. Lorsqu'ils y pénétrèrent, Enkidou se sentit étouffer. Les paroles de Gilgamesh lui redonnèrent toutefois courage. « Seul, lui dit ce dernier, on ne peut vaincre mais deux ensemble le peuvent. L'amitié multiplie les forces, une corde triple ne peut être coupée et deux jeunes lions sont plus forts que leur père. »
Les deux amis suivirent les pistes tracées par Houmbaba tout en admirant le paysage qui passait pour être le sanctuaire le plus secret d'Inanna elle-même. L'ombre immense de la forêt et la senteur des cèdres les réjouissaient mais ils ne s'attardèrent pas à apprécier le calme environnant et Gilgamesh avec sa hache se mit à couper un arbre. Celui-ci tomba en faisant un bruit assourdissant qui causa la fureur d'Houmbaba dès que celui-ci l'entendit. Utu tint alors sa promesse : il emprisonna le géant dans un cyclone si bien que les deux héros en vinrent facilement à bout...

La passion d'Inanna

Après la bataille – et il n'y eut peut-être pas de plus violente de mémoire d'homme – attirée par Gilgamesh dont les exploits l'apparentaient aux dieux, Inanna se proposa de l'aimer. « Laisse-moi me réjouir du fruit de ton corps et lorsque tu entreras dans ma maison embaumée de parfum de cèdre, les rois, les gouverneurs et les princes se prosterneront devant toi. » Mais Gilgamesh qui savait que la déesse était terrible avec ceux qu'elle aimait déclina cet honneur. « Que pourrais-je donc te donner si je te prenais pour épouse ? lui demanda-t-il. Un mortel quoi

qu'il fasse ne peut devenir l'égal d'une déesse. Et d'ailleurs quel est celui de tes amants auquel tu as été fidèle ? Tu es de la chaux qui disjoint le mur. » Et Gilgamesh de rappeler les mésaventures de ses nombreux amants. Outre Dumuzi et Allalou, l'oiseau du berger au plumage multicolore, Inanna ne s'était-elle pas éprise en particulier d'Ishoullanou, le jardinier de son père, qu'elle transforma en araignée parce qu'il n'avait pas voulu répondre à ses avances ?
En entendant ces paroles, Inanna entra dans une violente colère. Elle monta au ciel se plaindre à Anu qui lui fit d'abord remarquer qu'elle n'avait eu que ce qu'elle méritait. Ne l'avait-elle pas cherché ? Eludant la pique, la déesse exigea d'Anu qu'il créât et mit à son service un taureau céleste, le menaçant, s'il refusait, d'ouvrir les portes de l'enfer et d'en faire sortir les morts afin qu'ils dévorent les vivants. Anu lui fit observer qu'il y aurait sept années de disette s'il lui donnait l'animal fabuleux mais Inanna répondit qu'elle avait déjà pris ses dispositions en assemblant en abondance grain et herbe pour les hommes et le bétail...
Inanna fit descendre le taureau sur terre et le conduisit à Ourouk. Son arrivée répandit la terreur. Qu'on imagine ! 300 hommes tombent chaque fois qu'il souffle. Ce premier carnage fait pour montrer sa puissance, il se dirige vers Enkidou qui exécute un bond de côté et l'attrape par la queue tandis que Gilgamesh en profite pour enfoncer son glaive entre son cœur et ses cornes. La bête morte, les deux héros lui arrachent le cœur et l'offre à Utu. En fureur, Inanna leur lance des remparts une malédiction. Pour lui répondre, Enkidou arrache une cuisse du taureau céleste et la lui lance au visage en lui disant : « Si je te tiens je te ferai ce que je lui ai fait. » Folle présomption ! On n'insulte pas impunément la reine du ciel.

Le secret de la vie éternelle

Dans la nuit, après la fête qui a suivi la victoire, Enkidou est réveillé par un songe dans lequel il a vu le conseil des dieux le condamner à mort. Il a juste le temps de le raconter à Gilgamesh et il se recouche terrassé par la maladie. Le lendemain, nouveau songe : Auzou, l'oiseau-tempête, le lion à tête ailée, l'étouffe dans ses serres et le conduit vers le monde d'en bas, où, privés de lumière, vêtus de plumes d'oiseaux, les habitants ont la poussière pour nourriture et la boue pour pain... Enkidou finit par mourir malgré les soins et les pleurs de Gilgamesh qui, fou de douleur, fait faire une statue du défunt en or et lapis-lazuli. Le chagrin a envahi le demi-dieu qui prend conscience de la peur de la mort qui inconsciemment nous habite tous. Il s'en va errer à travers plaines, monts et vallées pour, dans un long voyage, chercher son aïeul Outa-Napishtim, le seul survivant du Déluge qui a pu recevoir l'immortalité des dieux. Il veut découvrir auprès de lui le secret de la vie éternelle.

La quête de Gilgamesh l'amène à combattre des lions qui « autour de lui se réjouissent de la clarté de la lune » et le fait arriver devant Mashou, une grande montagne qui garde chaque jour le lever et le coucher du soleil. Le sommet de cette montagne atteint la voûte du ciel et sa poitrine touche au monde d'en bas. Des hommes scorpions gardent sa porte ; ils sont terrifiants. Un de ces hommes apercevant le voyageur veut connaître la raison de ce long périple que nul mortel n'a effectué avec succès. « J'ai voulu faire ce voyage dans le chagrin et la douleur, répond Gilgamesh, pour questionner mon aïeul sur la vie et sur la mort. » « Entre, lui dit l'homme-scorpion, voici la porte de la montage ouverte devant toi. »

Le héros, pourtant, ne se trouve pas au bout de ses peines. Il pénètre dans l'obscurité totale et le vent du Nord lui frappe le visage. Puis – ô merveille ! – au bout, il découvre l'aube et le soleil qui se lève. Il voit devant lui un jardin merveilleux dont les arbres portent des pierres précieuses en guise de fruits. Utu, en personne, apparaît pour le mettre en garde : « Où vas-tu Gilgamesh ? Cette vie que tu cherches, tu ne la trouveras pas. » Gilgamesh lui répond : « Par peur de la mort, me voici errant dans le désert. O laisse mes yeux contempler le soleil. L'obscurité se retire lorsqu'éclate la lumière. O que celui qui est mort puisse contempler la racine de la vie... »

Gilgamesh – il s'est remis en marche – arrive très longtemps après au bord de la mer, en un lieu où Sidouri (la cabaretière), celle qui abreuve de vin les dieux, l'aperçoit au moment où il commence à descendre une dune. La fatigue marque son beau visage devenu méconnaissable, il a perdu ses vêtements royaux, et les a remplacés par des peaux de bête. Son apparence est telle que, le prenant pour un malfaiteur, Sidouri verrouille sa porte. Gilgamesh frappe et, quand la cabaretière lui demande ce qu'il est venu faire dans ce pays interdit aux mortels, il se présente. « Si tu es vraiment Gilgamesh, demande alors Sidouri, pourquoi te trouves-tu en si piteux état ? » « Comment pourrait-il en être autrement ? rétorque le demi-dieu. L'ami que j'aimais d'amour est devenu d'argile. J'ai pleuré en me disant qu'il se lèverait par la force de mes lamentations, mais les vers ont dévoré son visage. Après sa mort, je n'ai plus retrouvé de vie. Devrais-je moi aussi me coucher et

ne plus me relever ? Et maintenant que j'ai vu ton visage, cabaretière, pourrais-je ne pas voir la mort que je crains ? »
Touchée par ces paroles, Sidouri ne peut que prononcer des paroles de sagesse. « Lorsque les dieux ont créé les hommes, ils leur ont destiné la mort et ont gardé pour eux l'éternité. Toi, Gilgamesh, fais donc que chaque jour de ta vie soit une fête. Lave ta tête et baigne-toi. Flatte l'enfant qui te tient par la main. Réjouis l'épouse qui est dans tes bras. Voilà les seuls biens que possèdent les mortels. »
Mais Gilgamesh est tenace. Ce voyage qu'il a entrepris, il veut malgré les difficultés inouïes, le mener à terme. La cabaretière lui explique que Utu seul a pu jusqu'à présent traverser la mer infranchissable, mais elle lui indique tout de même que Our-Shanabi (le batelier des dieux) habite non loin d'ici et qu'il détient les deux images de pierre qui gardent le seuil de la mort. Our-Shanabi se trouve maintenant dans la forêt où il est en train de capturer le lézard de menthe... Aussitôt, Gilgamesh s'enfonce au milieu des arbres pour briser les sculptures. Le passeur l'embarque pour naviguer sur les eaux de la mort qu'il est dangereux de toucher. Gilgamesh pousse le radeau avec des perches, puis il fait une voile avec ses vêtements...
Gilgamesh finit par arriver devant son aïeul Outa-Napishtim. Celui-ci se laisse attendrir. Il lui révèle un secret : en un temps très éloigné, il y avait eu un déluge et lui, Outa, fut choisi par le dieu Ea pour y échapper. Averti par un songe, il construisit une arche de grandes dimensions et tout à fait étanche dans laquelle il se réfugia avec sa famille et toutes les espèces vivantes. Au moment prévu, la terre se brisa comme une jarre et d'affreuses tempêtes s'engouffrèrent détruisant tout ce qui vivait. Les dieux eux-mêmes rampaient hors du monde, accroupis comme des chiens. Au bout de sept jours, quand le ravage fut consommé, cela se calma ; le mont Nicin (du Salut) retint l'arche, et Outa-Napishtim lâcha une colombe pour voir si elle trouverait un endroit sec où se poser. Le songe qu'Ea lui avait adressé lui avait appris le secret des dieux. Il était immortel désormais.

Un savoir d'avant le déluge

Outa-Napishtim ordonne maintenant à Gilgamesh de rester éveillé six jours et sept nuits pour réussir sa quête. Celui-ci hélas est saisi par le souffle d'un sommeil profond qui le couvre comme un brouillard. Obéissant alors à son mari déçu par le héros, la femme de l'aïeul cuit des petits pains et les dispose autour de la tête du dormeur tout en marquant sur le mur le nombre de ses jours de sommeil. Le premier petit pain se dessèche, le second se gâte, le troisième ramollit... Le septième est encore sur le feu, et Outa réveille Gilgamesh qui, sans se démonter, affirme qu'un léger souffle de sommeil l'a à peine effleuré. L'ancêtre lui montre les pains... Malgré les lamentations qui s'en suivent, Outa remet Gilgamesh de nouveau à Our-Shanabi. Il lui demande de le laver de ses souillures, de l'habiller de neuf et de le reconduire à Ourouk. Puis au moment où l'embarcation se trouve sur le point de partir, cédant à la pitié de sa femme, Outa révèle au voyageur malheureux un secret. Il existe, lui apprend-il, une plante semblable à l'épine qui pousse au fond de l'eau et qui accorde la vie nouvelle à celui qui la cueille.

Gilgamesh ne se le fait pas répéter. Entendant ces paroles, il ouvre le conduit des eaux, arrache les lourdes pierres qui les bouchent, et descend dans l'extrême profondeur où il découvre la plante merveilleuse. Remonté ensuite avec elle, fou de joie, il jure au batelier des dieux qu'il va la partager avec tous les habitants d'Ourouk. Il était dit pourtant qu'arrivé tout près du but, le héros devait échouer. Une nuit, Gilgamesh voit un puits d'eau fraîche, il descend s'y baigner. Or un serpent habite ce puits. Ce serpent sent l'odeur de la plante. Il se glisse dehors, dérobe la plante, la mange et perd aussitôt sa vieille peau. Et c'est ainsi, dit le mythe, que le serpent qui change de peau tous les ans symbolise la régénération. Quant à Gilgamesh qui a transmis aux humains un savoir caché d'avant le Déluge, il a gravé sur la pierre le récit de son voyage.

CINQUIEME PARTIE

LES CELTES

CINQUIEME PARTIE
LES CELTES

I. LES CELTES, LE MERVEILLEUX A PORTEE DE LA MAIN

D'origine inconnue, les Celtes occupent une grande partie de l'Europe avant que les Romains ne les asservissent. Comme on découvre leurs traces au Ve siècle avant J.-C. sur les cours supérieurs du Rhin et du Danube, certains spécialistes considèrent les rives de ces fleuves comme leur berceau. Ce serait, selon eux, en partant de là qu'ils auraient essaimé dans toutes les directions : vers la France, l'Espagne, les Iles britanniques, l'Italie du Nord.
Une autre théorie toute aussi crédible raconte que les Celtes ont franchi le Rhin dès l'âge du Bronze (1800-600 av.
J.-C.) et se sont installés d'abord en Franche-Comté, en Bourgogne, en Alsace et en Lorraine. Quoi qu'il en soit, l'ensemble des historiens s'accorde pour reconnaître que l'expansion de ces nomades conquérants fut foudroyante. Les Celtes saccagent Rome en 390 av. J.-C. et seule leur indiscipline les empêche de tirer parti de leur victoire. Ils pillent ensuite le célèbre sanctuaire de Delphes (en 290) que les Grecs considèrent avec orgueil comme étant le centre du monde.
Disséminés en clans rivaux qui, en Gaule, ne s'uniront que sous la houlette de Vercingétorix, les Celtes auront une influence durable. Ils parlent une langue indo-européenne mais, bien que tout classement soit hasardeux, on peut tout de même dire qu'ils s'apparentent au groupe ethnique des Germains, des Romains, des Grecs et des Aryens. Sur le plan culturel, les Celtes ne connaissaient pas l'écriture. (Les écritures évoluées ne naissent qu'avec la sédentarisation.) C'étaient les druides qui se chargeaient de l'édu-

cation des jeunes gens en leur transmettant oralement un savoir dont ils étaient les dépositaires exclusifs. Ces druides célébraient les rites et présidaient parfois à des sacrifices sanglants.
Il est difficile de cerner avec précision la mythologie celte parce que – outre le fait que les témoignages directs sont extrêmement rares – cette mythologie tient surtout en une *sensibilité* singulièrement proche de la nature. Les Celtes reprennent souvent les légendes des pays qu'ils traversent et leur insufflent leur propre état d'esprit. Ce sont de grands rêveurs qui, au travers de leurs songes, ne perdent jamais le contact avec les forces de l'univers dont les civilisations sédentaires se dissimulent le merveilleux. Il leur suffit, croient-ils, d'entreprendre un voyage intérieur pour retrouver le « Tir Inna Beo » (le « pays de la vraie vie ») où la vieillesse et l'infirmité sont inconnues, où des vases magiques fournissent en abondance boisson et nourriture et où la musique surgit du sol à chaque pas.

II. UNE ENERGIE COSMIQUE : LA SEXUALITE

De multiples noms rappellent, parfois même sans que le familier des lieux ne s'en doute, le souvenir des Celtes. Ainsi Lyon est issu de Lug, un dieu de lumière, et la Marne tire son appellation de Matronae (les « Trois Mères divines » qui ont laissé leurs empreintes sur la rive du fleuve) tandis que la Seine tire le sien de Sequana, la divinité de sa source réputée entre toutes. En Angleterre, Serven vient de Sabrina, et la Clyde de Clota, la « grande purificatrice ». Redoutable Clota ! Si un guerrier la rencontre au moment où elle lave ses vêtements rouges de sang, il peut être sûr que sa fin est proche. Il ne lui reste qu'à dire adieu aux siens et à se préparer pour le grand voyage.

Le chemin de l'enfer

Un cours d'eau symbolise à la fois la Terre Mère dont il sort et le temps qui passe, donc en murmurant, dont il semble témoigner. C'est pour les Celtes un endroit sacré sur lequel veille un esprit gardien incarné dans un chat moustachu, un oiseau multicolore ou un poisson aux écailles d'argent. Parfois, ces endroits deviennent dans l'imagination l'orifice utérin, le vagin sans fond, de Rosemerta, la grande féminité barbare. La Terre Mère prend alors la forme d'une femme, amante ou mère, et pénétrer en ses gouffres équivaut à se plonger dans le cœur d'un mystère sexuel et cosmique à la fois. Tout vit, tout se métamorphose, l'existence se déroule comme un songe et, tragiques ou burlesques, ses épisodes se télescopent.
Autre figuration très riante celle-ci : la Terre se présente comme une tirade composée d'enfants joufflus, de cornes d'abondance et de riches corbeilles de fruits savoureux. (Des vieilles fontaines villageoises offrent encore de semblables motifs.) Une autre représentation encore tient en l'image de la déesse Epona, emportée sur un cheval rapide comme l'éclair, qu'elle monte en amazone, et suivie par un joli poulain blanc encore tout étonné d'être venu au monde.

La Terre Mère malgré tout reste une terrifiante énigme. Les animaux qui gardent ses sources ensorcelées,en un clin d'œil, se transforment en fées, ou au contraire en affreuses sorcières. Sheela-Na-Nig qui écarte les lèvres de son vagin n'invite pas à l'amour mais indique le chemin de l'enfer. Cela, encore une fois ne veut pas dire que les Celtes étaient pudibonds mais que, la sexualité, comme l'orage, la foudre ou la brise du printemps, leur semblait être une force de la nature. Cette conception explique d'ailleurs que les jeunes gens à l'adolescence recevaient une mystérieure initiation érotique donnée par des femmes sauvages, mi-sorcières, mi-prostituées secrètes. Apprivoiser l'énergie sexuelle, c'était, paraît-il, le meilleur moyen pour former des guerriers redoutables.

Brigitte l'infidèle

Le culte de la déesse mère-amante dont cette croyance est issue fait partie du fonds commun de l'humanité. (On le retrouve autour du bassin méditerranéen, dans le Nord extrême comme ailleurs.) Les Celtes n'ont donc fait que porter à sa tonalité la plus aiguë un thème dont ils ont pour ainsi dire hérité. Brigitte est le dernier avatar de cette divinité primordiale et Cernunnos, le dieu cornu, est son époux. Familièrement accroupi sur son trône, les jambes repliées sous lui, flanqué d'un bélier et d'un serpent comme de hauts dignitaires, Cernunnos porte des cornes de cerf au sommet de son crâne. Le cerf (ou le dieu) voit ses bois s'épanouir au printemps lorsqu'il défie ses rivaux dans de furieuses batailles dont l'enjeu est la possession des femelles. Maître de Brigitte, c'est-à-dire de la mère-amante ou de la nature, la première personnifie la seconde dans les mythes, Cernunnos doit prouver tous les ans que sa vigueur s'est renouvelée. Son destin est véritablement calqué sur celui de son animal fétiche qui va en hiver perdre sa couronne. Ce moment de déchéance, Cernunnos, lui, le vit dans les affres parce que Brigitte en profite pour le tromper avec Esus, le patron des bûcherons, une brute qui, sous le nom de Teutatès, exige des sacrifices humains. Mais lorsqu'il surmontera sa douleur – il lui faudra attendre plusieurs mois pour cela ! – Cernunnos reprendra le combat et, terrassant son ennemi, il redeviendra le roi incontesté de la nature qui a retrouvé ses couleurs. Magnifique mythologie où un dieu personnifie le cours des saisons !...

L'ogre Balor

A côté de Cernunnos et de Brigitte, les Celtes ont hérité d'une autre divinité fantastique qu'ils ont embellie : Balor, le chef de la puissance des ténèbres, qu'on surnomme le « châtré chef géant ». (On retrouve son nom dans tous les « Bel Air » en France.) Est-ce le personnage qui, combiné à Esus, a donné naissance aux ogres dans les contes ? En Bretagne, il est le géant Gaxr – Rabelais le cueillera dans les almanachs de foire pour en faire son Gargantua. Mais alors que Gargantua est truculent et débonnaire, Balor, lui, reste un géant terrifiant. Il n'a qu'un seul œil glauque au milieu d'un front dégarni, comme les cyclopes, et il garde sa paupière rabattue. Balor ne l'ouvre que pour combattre, il a besoin à ce moment-là de quatre hommes armés de crocs de boucher pour l'aider à la soulever. Une profonde somnolence l'empêche le reste du temps de tout détruire autour de lui. Que ce borgne ouvre son œil valide, et il lui suffira en effet d'un seul regard pour foudroyer une armée avec ses chevaux et son équipement et mettre le feu à la forêt qu'elle traverse.

Dagda et la vache blanche

Le dieu suprême des Celtes, Dagda, apparaît sous la forme d'un cavalier qui écrase un monstre sous les sabots de son cheval. (Les chrétiens récupèreront le symbole en en faisant saint Michel, ou saint Georges, terrassant le démon.) Dagda détient un objet extraordinaire : le chaudron magique jamais vide de nourriture et dans lequel – ô miracle ! – il suffit de jeter les morts pour qu'ils ressuscitent comme si de rien n'était.

Mais ce n'est pas tout. Dagda est aussi en possession d'une massue qui tue par un bout et redonne la vie par un autre, et d'une harpe d'or qui joue toute seule les trois airs essentiels de toute musique : celui qu'on ne peut écouter sans fondre en larmes, celui qui déchaîne les rires, celui qui plonge l'assemblée dans un sommeil profond. Le dieu est très laid mais est-ce son rang dans l'assemblée des dieux ? est-ce un charme caché ? – cela ne l'empêche pas d'avoir de nombreux succès féminins. Un jour, Dagda, qui désire Boann, sa lascive belle-sœur – Boann veut dire « vache blanche » – envoie l'époux, Eclmar, en voyage. Et comme Eclmar a averti qu'il serait de retour au bout d'un jour et d'une nuit, Dagda qui a tous les pouvoirs, suspend le cours des choses. Cette nuit et ce jour dureront... (9 mois [!]), le temps de la gestation d'un enfant. Après son adultère, prise de remords, Boann veut se purifier dans l'eau d'une source appartenant à Nechtan, un dieu marin. L'eau au lieu de la régénérer lui arrache brutalement une cuisse, une main, un œil. Prise de panique, Boann cherche à s'enfuir. Sortant d'elle-même, la source se lance alors à sa poursuite.

III. LES AVENTURES HEROIQUES DE CUCHULAINN

Un Hercule celtique

Très tôt, Cuchulainn montre qu'il est d'ascendance divine. A 5 ans, il met en déroute 150 jeunes garçons (des voyous !) qui l'attaquent pour le dépouiller de ses beaux vêtements. Comme il leur résiste, ils lui lancent leurs bâtons, mais avec le sien, il les détourne tous. De la même façon, il écarte 150 boules et autant de javelots. Puis pour manifester sa force, il fait d'épouvantables contorsions. « Il semble que chacun de ses cheveux jette une étincelle enflammée. Il écarte tellement les mâchoires que sa bouche atteint les oreilles. Il ouvre si fort ses lèvres qu'on voit le dedans de son gosier. Du sommet de sa tête jaillit la lumière des héros. » (On croirait du Picasso !...)

Les initiations de Cuchulainn

C'est le forgeron Culann qui l'initie. Cuchulainn qui, en s'amusant lui a tué son terrible chien, sera à sa dévotion quelque temps. Culann lui enseigne la maîtrise du feu et l'usage des armes. Mais les adultes continuent à ne pas prendre l'enfant au sérieux. Et il est obligé de se battre avec de nombreux guerriers pour établir sa réputation. « Le petit garçon, dit le mythe, quand il se met en colère, lève son visage au-dessus de la terre. Il porte la main sur sa figure, il devient pourpre et de la tête au pied il prend une forme de meule de moulin. »
Une fois, pour lui rendre hommage, un roi qu'il a vaincu à la lutte, croit lui faire plaisir en obligeant ses femmes et ses filles dévêtues « à montrer leur nudité au petit héros ». Mais lui se cache aussitôt le visage en le tournant contre la paroi de son char et il devient rouge de colère et de honte. Surpris, le roi le prie alors de descendre du char et, pour le calmer, lui fait apporter trois cuvettes d'eau froide. « On le met dans la première, il donne à l'eau une chaleur si forte qu'elle brise les planches et les

cercles de la cuve comme on casse une coquille de noix. Dans la seconde, l'eau fait des bouillons gros comme le poing. Dans la troisième, la chaleur est de celle que certains hommes supportent et que d'autres ne supportent pas. » Conchobar a appris la chose, il en fait des gorges chaudes mais il décide qu'il faut donner une éducation sexuelle à son neveu. On envoie donc Cuchulainn chez les femmes sauvages qui la dispensent...
Initié sexuellement, devenu un guerrier, Cuchulainn entre dans l'adolescence. Il parcourt le monde (c'est-à-dire le pays celte) pour parfaire son éducation. Au cours de l'un de ses voyages, comme il désire obtenir l'hospitalité d'une forteresse qui lui rappelle le Paradis, il capture des oiseaux de mer colorés pour émerveiller les habitants qui le narguent sur les remparts. Mais il oublie la forteresse lorsqu'il aperçoit une jeune fille solitaire et rêveuse qui se promène sur le rivage. C'est Aife, la fille du roi Aed le Rouge, qui doit être livrée en tribut aux Fomorés. Le sang de Cuchulainn ne fait qu'un tour. Il guette le géant qui vient chercher sa proie, combat avec lui, le terrasse. Tout le monde le félicite chaleureusement. Aed le Rouge le comble de présents somptueux. Et, cette nuit-là, « Cuchulainn a la fille Aife au jeu du lit »...
Devenu adulte, Cuchulainn qui ne rêve que plaies et bosses stupéfiera le monde. Le roi Ailill et sa femme Medb – une lady Macbeth celle-là ! – rassemblent une armée qui, sans sommation, attaque les Ulates et Conchobar leur chef. Les assaillants ont d'ailleurs bien choisi leur moment : les Ulates se trouvent en effet sous le coup de leur « indisposition annuelle de 108 heures ». Curieuse indisposition ! Hommes et femmes, tous ensemble, ils subissent pendant cette période les douleurs de l'accouchement. Seul Cuchulainn qui échappe à la malédiction est encore debout. Il ne s'affole pas. Il place sur le chemin de l'ennemi un cercle druidique (des pierres en rond) qui signifie « interdiction » et il s'en va tranquillement à un rendez-vous galant qu'il n'a nulle envie de différer. On ne transgresse pas une interdiction magique. Les envahisseurs sont obligés de camper sur place et la nuit venue il se met à neiger. On patauge dans la gadoue.
Au matin, Cuchulainn qui est en pleine forme commence tout seul le combat. Il jette d'abord des sorts qui exercent des ravages puis pour se dégourdir les membres il prend les armes. C'est – on pouvait s'y attendre – un affreux massacre si bien que Medb vient parlementer. Cuchulainn accepte l'armistice qui lui est proposé à la condition qu'un adversaire par jour se mesure à lui en combat singulier. Sur ces entrefaites, la déesse guerrière Morrigane apparaît

au héros et lui offre son amour en même temps que l'invincibilité. Cuchulainn la repousse. (Il préfère les mortelles qui sont moins dangereuses.) La déesse jure de se venger sur-le-champ. Elle se mêle aux combats singuliers et apparaît à chaque fois sous les traits d'un animal : une vache puissante, une anguille insaisissable, une louve féroce... Cuchulainn la blesse à tous les coups en même temps qu'il abat son adversaire mais il est blessé à son tour. A la fin une vieille femme vient lui offrir du lait. Il en boit et, pour la remercier, il formule des vœux en sa faveur. Malheureusement, il vient de tomber dans un piège. Cette paysanne n'est autre que Morrigane...

IV. LA VILLE ENGLOUTIE

Le roi de Munster a deux fils, Rib et Ecca. Le second qui ne peut résister au moindre jupon séduit la femme de son père (Ebliu) et il s'enfuit avec elle, Rib et des fidèles plus ou moins conduits par l'ambition. Ils se dirigent vers le Nord. Mais au bout de quelques mois d'errance, des druides qu'ils rencontrent par hasard sur la route, des druides qui ont entendu parler d'eux, leur conseillent de se séparer pour créer deux créations distinctes. Rib et ses gens vont se fixer dans la plaine d'Arbtheen. Et « là, l'eau d'une fontaine jaillit devant eux de la terre et les noya tous. » Quant à Ecca et sa suite, ils atteignent le domaine féérique de Mac Oc, le fils de Dagda. Le dieu leur donne un grand cheval splendidement harnaché avec cette recommandation qu'il ne faut jamais lui permettre un moment de repos. Les fugitifs remercient et partent. Le cheval leur est d'un grand secours (filant à la rapidité de l'éclair, il est infatigable). Seulement ils oublient un jour la recommandation qui leur a été faite et à l'endroit où le cheval s'arrête et disparaît emporté dans une nuée, une fontaine magique surgit de terre. Ecca qui comprend que c'est un signe fait construire autour d'elle une très puissante forteresse et il choisit la femme la plus sage de sa suite pour la garder. Derrière ces murs, Ecca et ses hommes font pousser une ville magnifique qui semble bénie des dieux. La paix y règne et les richesses s'y accumulent. Mais au moment où on s'y attendait le moins, une catastrophe survient. La femme préposée à la fontaine oublie de fermer la porte qui retient « la mer redoutable ». La fontaine déborde, l'eau s'engouffre, un grand lac se forme qui engloutit tout ce qui vit. Tous périssent noyés, sauf Libane, la fille d'Ecca qui demeure dans un palais sous l'eau. Sont-ce les dieux qui lui ont fait cette faveur ? Est-elle elle-même magicienne ? S'agit-il d'un phénomène naturel ? Le récit ne le dit pas, mais il ajoute qu'elle vit ainsi une année entière avec son petit chien épargné lui aussi. Et comme elle finit par s'ennuyer, elle désire devenir saumon pour voyager un peu, mais elle est transformée en syrène qu'on retrouve aussi bien sur les côtes de Bretagne sous les traits de Mary-

Morganne qu'au Poitou sous ceux de Mélusine. On la rencontre également dans le personnage de Dahud, la fille du roi radlon de Ker-Ys. Née sur la mer, sa mère accouchant en barque, Dahud a fait construire une ville sous l'eau dans laquelle elle nage en compagnie des poissons. Des pêcheurs entendent parfois son chant captivant.

V. LES NAVIGATIONS MERVEILLEUSES

Un jour que Bran se promène devant sa forteresse, il entend une musique si lancinante qu'il s'endort d'un sommeil sans rêves. Quand il se réveille, des heures plus tard, il découvre à ses côtés une branche d'argent avec des fleurs blanches comme de la neige. Une femme s'avance et lui dit en chantant qu'elle lui a apporté une branche du pommier d'Ablach la terre des fées. Cette branche « a des rameaux d'argent et des sourcils de cristal avec des fleurs inconnues ».
Saisi par la beauté de l'ailleurs, Bran cède à une intense nostalgie que rien ne peut calmer. Il s'embarque le lendemain avec neuf compagnons à la recherche de l'objet de son désir : la Terre des Fées. Il rencontre, au bout de deux jours de navigation, un être singulier, un être coloré mais sans contours définis, qui l'invite à visiter la « contrée merveilleuse » où les choses les plus banales deviennent belles comme des songes. Quelque temps après – aiguillonné par son désir, il ne s'est pas attardé en la contrée merveilleuse – Bran et ses compagnons débarquent sur une île où les habitants ne peuvent quoiqu'ils fassent, s'arrêter de rire de tout leur corps. Bran est obligé d'y abandonner quelques-uns de ses hommes qui cèdent à cette épidémie incongrue de fou-rire.
Ce qui reste de la troupe arrive après avoir essuyé tempêtes, typhons et d'autres dangers, à l'île des Fées. La reine du peuple des fées lance à Bran une pelote de fil invisible qui s'attache à la paume du héros et qui permet à la femme de tirer le bateau en terre ferme. Sitôt débarqués, elle conduit en grande fête Bran et ses amis dans une demeure où ils sont appelés à mener une existence sans pareil. Chacun vit en compagnie d'une femme ravissante et se nourrit de plats savoureux qui se renouvellent sans cesse. Le temps s'écoulant, cependant, le mal du pays s'empare des voyageurs. Si heureux qu'ils soient, ils décident tout de même de retourner chez eux. La reine les met alors en garde contre un danger qui les guette à coup sûr. Pour éviter ce danger, dit-elle, personne ne devra mettre pied à terre.

Quand Bran et les siens accostent au rivage d'Irlande, les autochtones leur demandent qui ils sont. Bran, sans descendre, se nomme, mais perd, on ne le reconnaît plus. Son nom a été oublié. Un de ses compagnons n'y tient plus, il se précipite sur la terre qu'il veut embrasser. Il tombe aussitôt en poussières. Bran est bien obligé de se rendre à l'évidence : il comprend qu'ils ont vécu des centaines d'années à Emain et que le temps là-bas n'existe pas. Il raconte ses aventures aux gens d'Irlande qui se sont massés pour l'écouter, puis il leur dit adieu. Le vent gonfle ses voiles. Il s'en va pour une destinée inconnue des mortels.

VI. L'ENCHANTEUR MERLIN

Le mystère de l'autre monde, ce sont les femmes qui chez les Celtes en sont les messagères. Aussi voit-on souvent en Irlande ou en Bretagne, à midi précise trois cygnes au plumage très pur se poser au bord d'un lac et se métamorphoser tout d'un coup en trois jeunes princesses qui se mettent nues pour se baigner. Ce sont les filles du roi de la Vallée noire – c'est-à-dire du souverain de la mort. C'est sous la forme de cygnes également qu'une envoyée du Sid (= de l'Autre Monde) vient chercher le fils préféré du dieu Dagdan, le dessale séance tenante, fait en hurlant trois fois le tour du lac et s'envole pour disparaître à jamais.
Une nuit que les fils du roi Daire sont assis près du feu pour se partager le produit de leur chasse, une vieille sorcière d'une saleté repoussante (« la crasse lui sert de vêtement ») sort subitement de terre. « Que l'un de vous me fasse l'amour, leur dit-elle, ou sans hésiter, je vous dévorerai tous les trois. » Seul Lugaid, le plus jeune des frères, se dévoue. Et quand il prend place sur la peau de mouton qui sert de couche, la hideuse sorcière se transforme sans crier gare en une très belle jeune fille aux bras blancs et aux cheveux d'or. La jeune fille dit à Lugaid que seuls les grands rois couchent avec elle et elle lui prédit qu'il règnera sur l'Irlande. Une autre fois, Conle le Beau, qui se promène sur la colline des songes en compagnie de son père, aperçoit une pucelle qui a l'air d'une étrangère. Elle s'approche et lui apprend qu'elle vient de Tir Na M'Beb, la Terre des Vivants. Seule Conle peut la voir tandis que son père ne se doute de rien. Et quand Conle exprime sa vision, le père qui est druide comprend tout de suite de quoi il en retourne. Il tente de désensorceler son fils, mais l'étrangère lance une pomme qu'elle a cueillie dans la Plaine aux Plaisirs. Sans hésiter, Conle la croque. C'en est fait de lui ! Rien ne peut désormais le faire renoncer à son amour pour la fée...
Mais le maître des sortilèges reste l'enchanteur Merlin. C'est le fils d'une vierge et d'un démon qui, en becquettant à l'oreille de la vierge, lui a fait perdre son innocence

alors qu'elle sommeillait près d'une fontaine toute bleue. Merlin, à sa naissance, a des poils sur tout le corps. Un charme jeté par un homme-loup l'en débarrasse... Un peu plus tard, alors que l'enfant est en train de grandir, l'île de Bretagne est envahie par les Saxons, et Vortiern, le chef des Bretons, pour son malheur, tombe amoureux de la très belle mais très fourbe Rowena. Celle-ci commence par empoisonner le fils aîné de son mari Vortemir qui, en mourant, profère une malédiction contre les Saxons et les traîtres qui se sont introduits au palais de Vortiern. Il jure qu'ils deviendront impuissants et le resteront tant que ses propres os, la tête de Bran le grand voyageur et les dragons d'or enterrés par le dieu Lug lui-même resteront enfouis sous terre. Cela ne décourage pas Rowena qui, sachant par sa nourrice que les dolmens et les menhirs le soir de Noël quittent leurs places pour aller boire à la rivière, organise un banquet de réveillon à Stohenge. A l'heure dite, ses hommes se précipitent vers les trous laissés vacants par la marche des mégalithes. Ils y découvrent les objets magiques.

Bafoué, trahi, ayant perdu tout pouvoir réel, Vortiern décide de se retirer sur la plus haute montagne du pays et d'y bâtir une forteresse imprenable. Les ouvriers se mettent au travail mais un sort étrange fait chaque fois s'écrouler les murs qu'ils dressent avec beaucoup de soin pourtant. Le roi consulte les druides. Ceux-ci lui apprennent, après en avoir délibéré, que la forteresse ne pourra tenir qu'à la condition d'arroser ses fondations du sang d'un enfant né sans père. Cela revient à désigner Merlin. On envoie donc des hommes d'armes le chercher dans la forêt où il coule des jours innocents. Conduit devant Vortiern, ne comprenant tout d'abord pas ce que l'on attend de lui, il finit par le pressentir et, sans se démonter, par montrer ce dont il est capable. Il déclare tout de go au roi que ses conseillers se sont trompés. « Demande-leur donc, lui dit-il ironiquement, ce qu'il y a sous l'endroit où tu veux bâtir. » Et comme personne ne répond, Merlin affirme qu'il s'y trouve une grande nappe d'eau. On creuse pour s'amuser – qui serait assez fou pour prendre un enfant au sérieux ? – et on découvre avec étonnement que cela est vrai. Mais Merlin ne s'arrête pas en si bonne voie. Il informe le roi qu'il y a encore une conque gigantesque au fond de l'eau et que dans cette conque dorment deux dragons, l'un blanc et l'autre noir.

En suivant ses conseils, Vortiern enfin bâtit la forteresse de ses vœux. Merlin déclare alors qu'il est venu annoncer aux Bretons leur victoire finale sur les Saxons mais qu'il faudra, pour que sa prédiction devienne une réalité, que

Vortiern abdique en faveur du prince Uther Tête de Dragon qui aura un fils Arthur (= le fils de l'Ours) dont la réputation passera les siècles. (Merlin découvre son don de prédiction tout en parlant.) Des années plus tard, Merlin deviendra d'ailleurs le conseiller très écouté de la nouvelle dynastie qu'il a appelée sur le trône. Sacrant les rois, fabriquant des armes magiques, jetant des sorts sur les ennemis des Bretons, il participera activement à la bataille pour la libération nationale mais entre deux combats, il retournera dans sa forêt natale où il s'occupera (sans jamais y réussir) à dénicher l'œuf du serpent de mer.

Un jour, il rencontre dans la forêt enchantée de Brocéliande, une jeune fille à la taille fine, aux cheveux d'or et aux lèvres vermeilles. C'est la fée Viviane dont il tombe sur le coup amoureux fou. Un pressentiment l'avertit qu'il ferait mieux de passer son chemin, mais il ne peut s'empêcher de lui faire sa cour en lui montrant de quoi il est capable. Il fait surgir du sol un château magnifique hanté par une foule de seigneurs et de dames en train de danser au jardin et il lui en offre la souveraineté.

Séduite, Viviane accepte de partager sa vie avec Merlin, et voilà nos deux tourtereaux qui, oubliés du monde, coulent des jours heureux. Mais au bout de quelques mois, Viviane fait tant et si bien que le magicien crédule lui livre tous ses secrets l'un après l'autre. Quelles sont les vertus du gui de chêne et du vert cresson ? Comment revivifier la terre en faisant tomber une pluie bienfaisante ? Comment se faire comprendre des animaux et tenir avec eux de longues conversations amicales ? Quand Viviane a presque tout appris, elle profite de ce que Merlin va la quitter pour quelques jours pour rejoindre la cour qui a besoin de lui pour lui jouer une comédie. « Tu ne m'aimes pas, lui dit-elle en fondant en larmes. Est-il possible que tu me laisses seule dans cette forêt ? » Et elle profite du désarroi de son amant pour exiger son ultime secret comme témoignage de sa confiance. « De quelle manière, lui demande-t-elle, retient-on quelqu'un prisonnier par seul enchantement ? » Merlin qui ne pense qu'à lui faire plaisir, le lui dit, mais, sitôt la formule livrée, il se trouve lui-même enfermé dans une maison d'air. Il s'y trouve encore, dit le récit, et il suffit de traverser la forêt de Brocéliande pour entrevoir la prison féerique qui, de loin, ressemble à un château de verre.

VII. LES CHEVALIERS DE LA TABLE RONDE

Le nom d'Artos (Arthur) fait allusion – nous l'avons vu – à la constellation de l'Ours, celle où brille l'étoile polaire qui conduit les voyageurs. Fils illégitime et caché de Uther Tête de Dragon, l'ami de Merlin, Arthur a 16 ans à la mort de son père. Après l'enterrement, les chefs de clans interrogent Merlin pour savoir qui règnera. Le magicien leur répond qu'ils doivent patienter jusqu'au solstice d'hiver. Ce soir-là en effet une épée au pommeau d'or fichée dans une pierre sacrée apparaît miraculeusement. Chacun s'essaie en vain de l'arracher de son socle. Guerriers, bardes, artisans et même vilains s'y hasardent sans résultat. Arthur qui, perdu dans ses songes, n'a pas été mis au courant de la chose et à qui son frère de lait, Kei, demande, pour se moquer de lui, d'aller chercher l'épé, s'approche candidement de la pierre sacrée. Et à la surprise générale, il réussit. La foule en délire le proclame roi.
Aimé de son peuple, guidé par les sages conseils de Merlin, Arthur accomplit une multitude d'exploits. Il bat à plusieurs reprises les Saxons, libère le sol national et affermit son pouvoir sur la Petite et sur la Grande Bretagne. Il conduit même une expédition (presque) victorieuse pour s'emparer du chaudron magique. Il gagne enfin l'amour de Gwenhwyfar (Guenièvre)... Arthur devient tellement célèbre que les meilleurs chevaliers du monde ont honneur à le servir. D'ailleurs, il choisit les plus vaillants et les plus courtois de ces hommes pour former avec eux une confrérie, celle des « Chevaliers de la Table Ronde » qui, comme son nom l'indique, réunit, pour délibérer, autour d'une table circulaire afin qu'il n'y ait parmi elle ni premier, ni dernier. Chacun de ces braves après avoir séjourné un certain temps à la cour s'en va en quête d'aventures et ne revient que couvert de gloire.
Arthur, cependant, s'empare par surprise de la Gaule qu'il convoitait depuis longtemps. C'est une déclaration de guerre à Rome ! Celle-ci ne se laissant pas faire, il ne reste à Arthur qu'à aller de l'avant ou de capituler. Il choisit la première solution. Après avoir confié son royaume à sa femme et à son neveu (Medrawt), seigneur du pays de

verre, pays où il n'y a ni hiver ni été, il prend la route. La première bataille est très sanglante. Arthur y perd la plupart de ses Chevaliers de la Table Ronde (il n'en reste que 10 !) mais les Romains sont obligés de battre en retraite et de se réfugier derrière les murailles de leur ville. Qu'à cela ne tienne ! Arthur met le siège mais au moment où, parce qu'il voit les défenseurs commencer à faiblir, il a l'intention de donner l'assaut, un courrier vient à bride abattue lui annoncer que rien ne va plus dans son royaume. Medrawt a séduit Gwenhwyfar et il l'a emportée sur son cheval couleur de nuit. Il a abusé d'elle. Il s'est proclamé roi des deux Bretagnes.

Arthur lève le siège en toute hâte et se porte au devant du traître qui a fait alliance avec les Saxons. L'affrontement a lieu en Cornouailles. (C'est le « plus meurtrier qu'on ne vit jamais ».) Cent mille hommes sont tués. Les derniers chevaliers de la Table Ronde périssent. D'eux, il ne reste que Morvran Ab Tegit, à cause de sa laideur qui fait fuir la mort, Sandde Brid – la mort pense qu'il serait dommage de faire disparaître une telle beauté – et Glewlwyt Gavaelvawr redoutable guerrier que même la camarde craint. La bataille s'achève par un combat singulier entre Arthur et Medrawt. Arthur atteint son neveu de sa lance. (« On vît un rayon de soleil traverser le corps du malheureux en même temps que l'arme qui le fit expirer. ») Cependant, le traître peut, avant de rendre l'âme, plonger son épée dans le flanc de son roi qui tombe.

Hywydd et Henwas, les deux fidèles serviteurs d'Arthur portent sa dépouille dans un endroit sacré. Ils sont en larmes. Le blessé voit l'affliction de ces pauvres gens et, de joie, il serre si fort Hywydd sur sa poitrine qu'il l'étouffe. Assassin malgré lui, Arthur n'a alors pas de mot trop dur pour se fustiger. Puis il ordonne à Henwas de confier aux flots le corps de son collègue. Il tire enfin de son foureau son épée magique (Caleff Wlch), celle-là même qui lui a valu la royauté et il lui dit de la lancer aussi. Au moment où Caleff Wlch atteint l'eau, un bras émerge, la saisit par la poignée, la brandit à trois reprises, puis l'emporte.

Trompé par sa femme, bafoué par son neveu, ayant perdu la plupart de ses compagnons de la Table Ronde, ayant tué son meilleur serviteur, s'étant séparé de sa belle et bonne épée, le roi Arthur comprend qu'il a fait son temps. Une nef magnifique aborde alors au rivage. La fée Morgane en descend, légère comme un nuage. Elle le prend par la main, le fait monter sur le navire et celui-ci met les voiles vers l'île d'Avalon, le séjour d'immortalité.

La quête du Graal

Dans une de ses plus anciennes versions, celle de « Peredur », le récit de la quête du Graal rapporte que le Graal est tout simplement un grand plat d'argent porté par deux jeunes vierges et dans lequel une tête de guerrier baigne dans son sang. Chrétien de Troyes civilise la scène en la décrivant comme plongée dans une lumière surnaturelle et en la faisant traverser par des jeunes filles de blanc vêtues et des serviteurs portant des chandeliers, une lance qui saigne et une coupe enfin qui est le Graal à proprement parler.

Symbole du secret que tout individu cherche à percer au moins une fois dans son existence, le Graal se trouve enfermé dans un mystérieux château. Ce château est-il à l'image de la forteresse construite autour d'une source ou d'une fontaine ? (Voir l'épisode de la fontaine d'Ys.) La quête à laquelle s'adonnent de valeureux chevaliers conte-t-elle tout simplement une « éducation sentimentale » comme on disait au XIXe siècle ?... Peredur, ou Perceval chez C. de Troyes, est tenu dans l'ignorance par sa mère qui craint pour lui qu'il ne devienne un guerrier. Très mal dégrossi, candide, brutal (il violera la première fille qu'il rencontrera), il ne connaît rien de la vie. (C'est la quête qui lui en enseignera le sens.) Après avoir fait la connaissance de chevaliers dont il pense dans sa naïveté qu'ils sont des messagers de l'au-delà, il arrive à la cour du roi Arthur et pour prouver sa bravoure, commence ses aventures.

L'ensemble de la mythologie celte, ou du moins ses thèmes essentiels, passe dans la quête du Graal. Peredur (ou Perceval) rencontre des sorcières, des fées, des sages initiateurs, des nains, des géants. Il voit des nefs merveilleuses débarquer sur le rivage, il entre en possession d'une épée magique (comme Arthur), il apprend (comme Madelin) que son père a été assassiné et qu'il doit le venger...

Perceval se trouve à la fois en quête de sa propre personnalité, d'une remise en ordre sociale et d'un renouveau de la nature. Le désir qu'il a de se mettre en marche, de vaincre tous les obstacles, Perceval le découvre en même temps en lui et en dehors de lui. Le pays est en effet devenu une « terre gaste » (une terre désolée) et il sait qu'il est appelé à lui redonner vigueur. Cette intuition qui deviendra le sens même de sa vie se confirme d'ailleurs lorsqu'il rencontre le « roi Méhaigné » (infirme) qui est le maître du château. Il sait que, pour le soigner, il devra conquérir le Graal. C'est-à-dire qu'il devra se civiliser. L'humanisation est la seule vraie royauté.

SIXIÈME PARTIE

L'IRAN

SIXIEME PARTIE
L'IRAN

I. LE COMBAT DU BIEN CONTRE LE MAL

Venus probablement d'Asie Centrale, les Aryens sont les plus anciens habitants connus de la Perse. (Ils y déferlent vers 800 av. J.-C.) Cyrus le Grand, plus tard, fonde le premier grand empire et envahit l'Egypte, l'Inde et la Babylonie (539). C'est alors que Zoroastre, ou Zarathoustra, réforme l'antique spiritualité perse et lui donne l'aspect que nous lui connaissons. Darius (521-486), puis Xerxès (486-465) succèdent à Cyrus mais, après cette période de gloire, l'empire tombera entre les mains du Grec Alexandre le Grand (333) jusqu'à l'arrivée des Parthes originaires de Scythie. L'Islam, dernier conquérant finira par bouleverser le pays de fond en comble.
Personnage historique, devenu légendaire, Zoroastre, dans sa philosophie, exprime l'esprit qui, des temps préhistoriques au chiisme contemporain, n'a cessé de courir en Iran sous des formes et avec des fortunes diverses. Zoroastre a saisi au cœur le message de la mythologie perse, il l'a synthétisé et il lui a permis de passer les siècles. Ce message – on le retrouve également sous d'autres formes dans de nombreuses hérésies aussi bien juives que chrétiennes – tente de répondre à une angoissante question. Pourquoi le mal existe-t-il ? Est-il dans la création un accident ou une nécessité ? Comment se fait-il que Dieu qui est tout de bonté lui ait permis d'exercer ses ravages ? Zoroastre a pris le problème à bras-le-corps en élaborant une rigoureuse cosmogonie qui place sur le devant de la scène deux principes antagonistes.

II. L'ARBRE D'IMMORTALITE

La cosmogonie tourne en Perse autour d'Elbouz, la montagne cosmique, connue aussi des Egyptiens ou des Celtes. (Les Sumériens, eux, la découvrent après le Déluge puisque c'est sur elle qu'abordera l'arche d'Outa-Napishtim, leur Noë.) Elbouz est une coquille qui a mis près d'un millénaire à pousser et à devenir de plus en plus dure. Il le fallait bien ! Cette carapace contient la terre, lui donne forme, l'empêche de s'effriter. Et Elbouz relie également la terre au ciel et à l'enfer. Sa cime touche aux étoiles, séjour des bienheureux, tandis que sa base donne sur une porte cachée derrière laquelle grouillent les démons. (On retrouve de semblables conceptions chez Wagner.)
Qui a donné naissance à la création ? Une tonalité singulière traverse ici le récit. Il répond : ce sont les forces du mal. C'est le mal qui a séparé l'eau et la terre qui jusqu'alors se tenaient enlacés en ne formant qu'un seul corps. C'est lui qui a ébréché l'immobilité absolue du commencement comme on ébrèche un vase et qui a obligé le soleil, la lune et tous les astres à sortir d'Elbouz, comme les enfants du ventre de leur mère, pour tourbillonner autour de la terre. L'univers est donc l'œuvre d'un mauvais principe, dit la mythologie perse. Ultérieurement, de nombreuses hérésies – celle des cathares, par exemple – iront jusqu'à croire que l'ouvrier cosmique qui, dans la Bible, distingua les éléments pour façonner le monde ne fut qu'un malin génie, une ombre déguisée en divinité. Pour séparer la terre de l'eau, ne fallut-il pas en effet dans leur couche s'immiscer entre eux ? Ne fallut-il pas se livrer à une bestiale sexualité ?
Si le mal, cependant, avait régné sans partage, il n'y aurait pas eu de création. Celle-ci n'est pas l'agitation absolue de l'enfer. Quelque chose de divin habite tout de même ici-bas. Et pareille à une roue de fortune immense, la vie est symboliquement divisée en sept quartiers (un au centre, six autour), les hommes ne passant de l'un à l'autre qu'en chevauchant Srishok, le bœuf magique qui, à la fin des temps, sera sacrifié lorsque l'immortalité se sera banalisée. Aux côtés du bœuf, d'autres animaux jouent également

un rôle bénéfique dans cet opéra fabuleux : l'âne-licorne – il n'a que trois pattes mais neuf têtes, six yeux et une corne miraculeuse qui guérit certaines maladies –, et les dix poissons qui montent la garde devant Gaokerena (ou Hom), l'arbre d'immortalité, pour empêcher le lézard malfaisant de grimper à ses branches. Cette roue de fortune représente-t-elle le cycle des réincarnations ? On n'en a pas la preuve mais la chose reste possible. La métempsychose, en effet, est, en ces époques lointaines, une croyance universelle.

C'est autour d'Elbouz, l'axe de la création, que le drame se met en place. Vayou, le vent, a poussé à son pied l'ensemble des pluies de la création, aussi bien celles du Déluge que celles dont les hommes et la végétation ont besoin. Elles viennent, ces pluies, du fin fond du mystère de Tishtraya, la source de fertilité. Et, taureau ou cheval blanc, elle se métamorphose sans cesse, Tishtraya engage un corps à corps avec Apaosha, le démon de la sécheresse pour un combat sans merci mais sans fin. La déesse Anahita, la blonde Anahita, viendra heureusement à son secours au dernier moment. Elle sortira, comme une baigneuse belle à vous couper le souffle, des lacs souterrains cachés sous Elbouz.

Cette intervention s'avère décisive. La belle déesse apporte, avec son mystérieux sourire, des réserves d'eau claire grâce auxquelles « le lait des mères et la semence des hommes » sont tout à fait purifiés. A sa source d'ailleurs, dans un lieu très secret, pousse l'arbre magique Hom. (On retrouve curieusement ici le mot sacré du yogah qui est hom, lui aussi.) Il suffit de goûter à son fruit pour obtenir l'immortalité. Cela n'a rien d'étonnant. N'est-ce pas l'eau de vie elle-même qui l'arrose ?

Comme tout symbole, l'arbre se démultiplie en de nombreuses images. Hom sera très vite confondu avec Haoma, le prêtre divin, qui, quand on le sacrifie, régénère les autres dieux. Rituellement offert, Haoma parvient à ses collègues par l'intermédiaire du feu, Atar, emblème, chez Zoroastre, de Ahura Mazda, la créature suprême. L'eau de vie, ou son avatar Haoma, devient donc un enjeu convoité dont dépend la santé de l'univers et des dieux eux-mêmes. Cet enjeu provoque une guerre cosmique, celle du Bien contre le Mal. Et Verethragna apparaît ici pour personnaliser cette guerre sous diverses formes : taureau aux cornes d'or, cheval blanc, bel adolescent, cerf redoutable, homme possédant une épée qui le rend invincible...

Si grandiose soit toutefois la poésie du mythe, il lui arrive parfois de se dégrader en une idéologie exprimant les intérêts bien concrets d'une classe sociale. Atar porte aux immortels la substance mystique de la divinité sacrifiée (entendez : il a réduit les humains à leur rôle de producteurs), Haoma et Verethragna désignent les deux castes gouvernantes (les prêtres et les guerriers). Cette tripartition se retrouve en Index et, dans une moindre mesure, en Europe au cours du Moyen Age. Mais elle ne concerne pas directement notre sujet pour la bonne raison que le mythe signe sa propre mort quand il s'identifie au sociologique.

III. AINSI PARLAIT ZARATHOUSTRA

Enfin Zoroastre vint et il modernisa les antiques croyances. Comme le Christ et de nombreux prophètes, il ne cherchait pas à abolir les anciens préceptes mais à les réaliser. Il laissa les dieux vénérables continuer d'occuper une place importante mais il élargit la scène pour accueillir de nouveaux personnages. Ordonnant la cosmogonie, précisant le cours du temps, comme on régularise un fleuve, il fit de Vayu, Haoma, Anahita, Atar et des autres, les emblèmes des jours de la semaine et des mois de l'année et mit à leur tête Orzmud (le vieil Ahura Mazda auquel il fit d'abord subir une cure de rajeunissement).

Orzmud, c'est la bonté, la force, la beauté. Le soleil à son intensité extrême lui sert d'œil et les étoiles comme des fleurs des champs piquent sa robe frangée d'infini. Mais cette robe est souvent déchirée comme le vêtement d'un chiffonnier : Orzmud, en effet, se trouve en lutte constante contre les forces du Mal. Le Bien et le Mal sont-ils les deux aspects d'un même principe ? Les deux visages d'une même divinité ? Le fait que le Mal se manifeste ne limite-t-il pas la toute puissance de Dieu ? Questions philosophiques embarrassantes ! Zoroastre ne les élude pas : il répond que cette lutte s'explique : la création n'est pas encore achevée et ce que nous appelons le Mal n'en est qu'un brouillon. Il précise d'autre part que pour mener à bien cette œuvre titanesque Dieu a besoin des hommes s'il veut remporter la victoire finale.

Orzmud siège dans la « Maison céleste du Chant », le lieu où les justes sont accueillis après leur mort, pays où règne une indicible musique, endroit où le cosmos ressemble à une immense symphonie. Le dieu est invisible, mais ses émanations qui, selon leur rang, occupent des trônes d'or ou d'autres métaux moins précieux, prennent de plus en plus contact avec le visible. Ces émanations, ces enfants peut-être, maintiennent l'ordre de l'univers en le protégeant contre les attaques des ténèbres. Ils lui insufflent l'esprit de vie. Le plus lointain d'entre eux, Spenta Mainuya, représente l'Esprit Généreux que nul mortel n'a jamais vu. Vohu Mana, le second, la Sagesse, conserve la mémoire des bonnes actions humaines qui retentissent au ciel. Aussitôt éveillé, il se heurte au pied même de sa couche à deux redoutables ennemis : Akah Mana, la Discorde et Aeshma, la Fureur. A une figure démoniaque, en cette mythologie, correspond toujours une figure bénéfique. Il y a ensuite Asha, la vérité, garante de l'ordre sur terre et Indra, le Reniement servi par les démons et les sorciers. Il y a enfin « le Royaume désiré » qui symbolise le monde de la fin des Temps dont l'adjoint est Mithra, le soleil dans sa gloire ; Aramati, la Dévotion et enfin l'Intégrité et l'Immortalité. S'opposent à eux : Saura, l'Ivresse, la Faim et la Soif.

Dieu en haut, les créatures en bas, ces avatars constituent les médiums qui permettent à la divinité de communiquer avec les mortels sans les aveugler de la lumière qui l'embrase, ni les détruire par sa puissance. Ces avatars sont aussi comme les degrés d'une échelle que l'inité doit gravir s'il veut échapper au Mal et « se tenir du côté du Dieu bon ». L'échelon qui touche à la fois au ciel et à la terre est symétriquement composé de Sraosha, l'Obéissance, et Aeshma et Angra Mainyu. Au sommet d'une très haute montagne, Sraosha habite une maison qui repose sur mille piliers d'or et de nacre et qu'une lumière surnaturelle éclaire. Sortant régulièrement dans un char tiré par quatre magnifiques chevaux blancs, le dieu traque les démons dont il écrase la tête de sa masse d'arme. Angra Mainyu, son plus redoutable ennemi, deviendra ultérieurement Arihman, le prince des Ténèbres. Zoroastre dira qu'il est le créateur du monde du mal qui, en négatif, reflète la Bonne Création, œuvre d'Orzmud, mais œuvre encore en gestation.

Le drame cosmologique culmine lors de l'affrontement qui oppose Orzmud et Ahriman. Le Bien, dit le mythe, demeurait dans l'infini dans une lumière qui se recréait elle-même comme une source sans fin, et le Mal végétait dans les Ténèbres. Le vide séparait les deux mondes d'une frontière infranchissable, créant ainsi un équilibre où les choses trouvaient leurs justes places. Mais au bout de 3 000 ans, voulant ravir la lumière qui le fascinait et le révulsait à la fois, comme le bien attire et repousse le méchant, poussé par Jahi, l'esprit d'impureté féminine, Ahriman se rebella. Aidé par Jahi, la séductrice, il mit l'univers en morceaux parce que blessé par la lumière il se roula par terre et prit alors la force d'un boulet, abattit Srishok le bœuf cosmique et dans la lancée, tua la première humanité, mais il se trouva prisonnier quand il voulut regagner son royaume. La dure carapace du ciel — un guerrier en armure étincelante à la tête du cortège des âmes des justes — l'enchaîna fortement à la matière. De Srishock abattu

sortirent alors, avec son sang, le blé, les herbes médicinales et les animaux ; de l'homme mort, les métaux et de sa semence, Mashya et Mashyana, un couple qui répondait enfin aux véritables desseins du Créateur.
Mashya et Mashyana furent d'abord des végétaux et plus précisément les deux moitiés d'une plante à 15 feuilles qu'on ne trouve plus aujourd'hui mais dont le mythe conserve le souvenir. Les fruits de cette plante donnèrent naissance aux dix races de l'humanité qui, à leur adolescence, se laissèrent détourner du bon chemin par Ahriman. Elles perdirent le sens de l'érotisme, l'amour devint obscène, les sacrifices qu'elles offraient aux dieux ne servirent plus à rien, et, comble de malheur, elles finirent par manger leurs enfants. Pris de pitié, Orzmud rendit les bébés moins savoureux, et c'est de ces nouveaux petits êtres moins excitants mais respectés par leurs parents que sortirent les humains.

IV. LE MESSIE OU LA LUTTE FINALE

L'humanité remplit une fonction astreignante dans la mythologie perse : son plaisir se confond avec la mission dont la divinité l'a chargée. Si elle veut s'épanouir, elle doit aider les dieux dans son combat contre le Mal et achever de la sorte la création. Et le combat lui-même se terminera-t-il un jour ? Il semble que non puisque c'est de lui que surgit la vie. Voulant signifier que rien n'est jamais acquis, Zoroastre disait que le Mal triomphe toujours dans le temps mais que le Bien est appelé à gagner hors du temps. Le mythe pourtant affirme que la victoire ultime – ou du moins celle qui achèvera le présent cycle cosmique – est évidente : elle est annoncée par la naissance miraculeuse de Zoroastre lui-même qui, comme le Christ ou d'autres dieux, est issu de l'accouplement de Dieu et d'une Vierge. Cette venue au monde s'est d'ailleurs accompagnée de prodiges : apparition d'étoiles et mutations de plantes en animaux. (Le mythe ne dit pas lesquels.) Existe-t-il de meilleure preuve que de tels prodiges pour montrer que la création a été, sans que les hommes l'aient toujours perçu, physiquement soulevée par la naissance du prophète ? Grandissant à l'abri du démon, Zoroastre émerveilla très tôt les gens par son savoir. Devenu un homme, il convertit le roi Vishtaspa inaugurant ainsi une période de l'histoire où l'alternance du bien et du mal allait encore se répéter trois fois à mille ans d'intervalle chaque fois.
Le Mal réussira presque à détruire le monde au cours des deux premiers cycles mais il sera repoussé *in extremis* et, dans la dernière période, un Messie, le Soshyan, entreprendra la lutte finale qui se conclura par la victoire du Bien. Ce sera la résurrection des corps : les morts reviendront à la vie en retrouvant leur apparence charnelle, et les trompettes du Jugement retentiront. Les volcans et les gouffres cracheront du métal en fusion entièrement pur qui, recouvrant la terre, comme un nouveau déluge, restaurera la vie originelle tout en emportant les âmes pécheresses. Pour donner l'immortalité aux hommes, Soshyan sacrifiera Srishok le bœuf cosmique et il leur fera boire un élixir composé de la graisse du bœuf et du fruit de

Haoma, l'arbre magique. Il tuera tous les démons, sauf Ahriman qui sera précipité en enfer pour y rester sous la lourde chape de métal en fusion alourdie par les péchés de l'humanité. Le règne du bien commencera alors et l'univers sera rétabli dans toute sa beauté.

SEPTIEME PARTIE

LE NORD

SEPTIEME PARTIE
LE NORD

I. LE CREPUSCULE DES DIEUX

Les hommes et les héros sont eux aussi convaincus – et les faits leur donneront malheureusement raison – que rien, ni une action d'éclat ni un miracle, ne pourra les sauver ; mais, le dos au mur, cela ne les empêhe pas de se battre jusqu'au bout. Une mort courageuse les conduira au Valhalla, l'une des grandes salles de l'Asgard ; et lorsque ce dernier s'écroulera, ils auront au moins la joie de mourir dans la compagnie des dieux. Plus d'un récit met en scène un héros qui rit à gorge déployée pendant que ses ennemis lui arrachent son cœur encore vivant. L'homme n'a que son courage pour dépasser sa condition.
La mythologie scandinave évoque des personnages légendaires dont quelques-uns semblent avoir vécu lors de l'âge de bronze (1600-500 av. J.-C.). Les dires cosmogoniques, de leur côté, nous sont parvenus à travers la tradition orale des Vikings dont, du Groëland à la Sicile, les exploits maritimes ont été célèbres...

II. DEBUT ET FIN DU MONDE

Ce sont souvent les femmes qui, dans la mythologie nordique, conservent la mémoire du monde. Une femme d'une grande sagesse explique ainsi qu'il n'y avait rien du tout au commencement. Ni le sable, ni la mer, ni les vagues froides, ni même le ciel, dit-elle, n'étaient là. Et le soleil, la lune et les étoiles n'avaient pas encore trouvé leurs places.
Etait-ce donc le néant ? Difficile de s'en faire une idée. Seul Ginnungagap, le vide, existait sous la forme d'une vertigineuse béance qui ne cessait de s'élargir. (Imaginez une plaie absorbant le corps sur laquelle elle avait été faite.) Tout au Nord, misère et désolation, s'avançait Niflheim, l'empire glacé de la mort, et tout au Sud, tout aussi dangereux, Muspelheim, celui du feu. Douze rivières sortaient en bouillonnant du premier pour déverser leurs eaux funèbres dans le vide et pour le geler à son tour. (Les eaux de l'empire des morts avaient la particularité de toujours se glacer.) Des nuages brûlants, des tourbillons de feu, suintaient du second. Au contact de la glace, ils la transformaient en un brouillard poisseux. Cette circulation d'eau se glaçant puis se réchauffant dans le vide provoque une curieuse alchimie. Devenant soupe de brouillard, le gel laisse tomber des gouttes d'eau, et de ces gouttes que la conteuse appelle joliment les « filles du gel » naît Ymir, le premier géant. Ymir, d'après d'autres mythes, fut nourri par une vache cosmique. Cette vache lécha ensuite les blocs de glace pour façonner les humains. Un autre mythe encore dit que les hommes et les femmes churent de l'aisselle d'Ymir tandis que de ses pieds vint la race des géants gelés...
Ymir eut un fils qui en eut un à son tour : Odin. (Nous en reparlerons.) Odin et ses frères – le fils d'Ymir était prolixe – tuèrent leur grand-père pour créer l'univers. De son sang, ils firent la mer ; de son corps, la terre et de son crâne, les cieux. Voulant égayer le tableau, ils prirent de Muspelheim les étincelles avec lesquelles ils jouaient

lorsqu'ils étaient enfants pour confectionner le soleil, la lune et toutes les étoiles. Ce ne fut pas chose aisée d'accorder à chacun la place qui lui convenait. Avec les sourcils de Ymir, les jeunes dieux finirent cependant par construire un grand mur pour délimiter un espace magique, Midgard. A l'intérieur de cet espace, ils créèrent l'homme et la femme à l'aide d'arbres. Le frêne pour l'homme. Le bouleau pour la femme. Le conte ne dit pas comment apparurent les nains et les elfes qui vivaient les uns sous la terre, les autres près des fleurs et des ruisseaux. La création du monde fut, en tout cas, le dernier jeu d'Odin et ses frères. Ils étaient devenus des adultes sans même s'en apercevoir...

III. ODIN, FRIGGA LOKI, ET LES AUTRES

Drapé dans un manteau de nuages gris et la tête recouverte d'une capuche couleur de ciel qui dissimule qu'il est borgne, Odin (on l'appelle aussi Wotan) est un personnage solennel, compassé, qui ne rit jamais. Sur ses larges épaules perchent deux corbeaux qui volent parfois à travers le monde pour y espionner ses habitants. L'un se nomme Hugin (Pensée), l'autre Munin (Mémoires). Quand il était plus jeune, Odin s'amusait avec ses frères, il aimait même faire du chahut. Mais maintenant qu'il est imbu de ses responsabilités, il se montre toujours distant au point de ne jamais manger si les autres dieux l'invitent et de donner la nourriture à deux énormes loups noirs qu'il fait surgir à ses pieds, comme il fait surgir les orages.
Sinistre Odin ! Tandis que les autres dieux festoient, il réfléchit à ce que Hugin et Munin lui murmurent à l'oreille. Il sait que tout est perdu et il ne s'efforce que de faire tout son possible pour retarder l'échéance fatale. Père universel, roi des dieux, Odin sans cesse a cherché dans sa jeunesse à acquérir plus de sagesse. Il est descendu pour cela au fond des Puits de Sagesse pour implorer un certain Mimir, son gardien, et le prier de lui en faire boire « une gorgée ». Mimir lui ayant répondu que s'il le voulait vraiment il devait perdre un œil, il a consenti sans hésiter. Puis encore assoiffé de savoir, ne reculant devant aucune souffrance, il a acquis la science des Runes. Ces Runes sont des inscriptions magiques qui donnent un grand pouvoir à ceux qui sont capables de les graver dans la pierre, le bois ou sur le fer. Odin a été pendant 9 nuits crucifié à l'arbre cosmique (Yggdrasil) violemment secoué par la tempête et blessé par une lance. « Sur cet arbre que nul ne connaît (comme Adonis, le Christ ou un autre) il a été offert à lui-même. » Cette crucifixion lui a-t-elle gâté l'humeur ? Sa quête de sagesse a-t-elle échouée ? On ne sait. La suite, la garde d'honneur de Wotan, est composée de jeunes vierges, les Valkyries, qui le servent à table et veillent à ce que les cornes à boire restent toujours pleines mais dont la tâche essentielle consiste à se rendre sur les champs de bataille, dans le courage et les campagnes, le sang et

l'orgueil, décider du sort de la victoire. « Val » signifie « tuer », « Valkyries » « celles qui choisissent les morts ». Elles dévorent les vaincus, boivent leur sang, mais prennent par la main les plus héroïques d'entre les héros morts pour les escorter jusqu'au Valhalla où elles étanchent leur soif avec des hanaps d'hydromel. Un guerrier valeureux qui sent venir sa mort voit « des jeunes filles belles comme des princesses qui chevauchent leurs coursiers la poitrine serrée dans des armures lumineuses. Ces jeunes filles sont lointaines et perdues dans leur songe. Elles appellent amoureusement le guerrier »...
Mais si puissant que fût Odin, il avait à compter avec les autres dieux, en particulier la déesse de l'enfer, Hela au visage noir et indéchiffrable. Parmi les enfants d'Odin, Balder était sans conteste le plus aimé sur terre comme au ciel. Charmant, serviable, sans façon, sa personne était si lumineuse qu'un grand éclat d'innocence émanait de lui : une nuit, néfaste entre toutes, un songe prémonitoire l'avertit qu'un danger le menaçait. Secoué, effrayé, il s'en ouvrit à ses parents : Odin son père et Frigga sa mère, la déesse de l'amour qui a apporté le lin aux femmes. Angoissée, mais ses gémissements ne l'empêchent pas d'agir, cette dernière parcourut l'univers entier, s'arrêtant devant chaque créature, de la plus petite à la plus grande, devant chaque végétal, de l'herbe chétive à l'arbre centenaire, devant chaque objet inanimé, du roc au galet, pour leur faire promettre de ne jamais causer le moindre mal à son fils. Elle n'oublia dans sa course qu'un arbrisseau sans importance qu'elle n'avait même pas remarqué : le gui. Odin, cependant, qui ne sait quoi faire, finit en désespoir de cause, par descendre aux enfers (à Niflheim) pour rencontrer Hela, la déesse de la mort. Celle-ci avait mis ses plus beaux atours comme pour fêter un dieu, et une femme d'une grande sagesse apprit au voyageur que l'hydromel avait déjà été brassé pour son fils.
Odin comprit qu'il ne pourrait arracher Balder à la mort – ses pleurs et sa colère ne servirent à rien – mais les autres dieux, croyant que Frigga avait écarté tout danger, inventèrent un jeu pour commémorer le retour à la vie de l'enfant. Jetant sur lui, qui une pierre, qui une lance, qui une flèche, ils essayèrent de l'atteindre. Les armes miraculeusement à chaque fois se détournèrent de leur but, et tout aurait continué de bien se passer si Loki, ce bâtard de divinité et de géant qui semait le malheur partout où il passait, n'avait été jaloux du fils d'Odin. Se déguisant en femme, il alla voir Frigga et engageant conversation avec elle, il lui tira les vers du nez. Fière de sa réussite, heureuse du résultat, celle-ci finit par lui conter sa course

dans l'univers. « Tout ce qui existe, lui dit-elle, a promis de ne jamais faire de mal à Balder. – Tout ? Vraiment tout ? lui demanda Loki. – Oui tout, précisa la déesse, sauf le gui. Mais quelle importance n'est-ce pas ? »
Loki n'en demanda pas davantage. Il se précipita sur terre cueillir du gui, et il revient ensuite voir Hoder, le frère de Balder qui, parce qu'il était aveugle, ne pouvait jouer avec les autres. « Pourquoi restes-tu dans ton coin, lui demanda-t-il en sachant ce que l'enfant lui répondrait. – Tu sais bien que je suis aveugle. D'ailleurs je n'ai rien à lancer. – Qu'à cela ne tienne, rétorqua Loki. Voici un rameau. Jette-le donc. Je dirigerai ton tir. » Hoder prit le gui et, fou de joie, sûr d'étonner son frère et tous les dieux, le lança de toutes ses forces. Le gui atteint Balder en pleine poitrine qui, à la stupéfaction générale, tomba aussitôt raide mort.

IV. LES LEGENDES DE SIGNY ET SIGURD

Rendues célèbres par de nombreux poèmes, musicaux ou non, les « Niebelungen » racontent des histoires de héros et, comme dans les deux que nous allons maintenant rapporter, le couple amour-mort en constitue souvent le thème essentiel. Signy était la fille de Volsung et la sœur de Sigmund. Jaloux de ces derniers, sentant sa femme lui échapper parce que trop attachée à sa famille d'origine, l'époux de Signy, un faible, tua le père en l'entraînant dans un guet-apens et s'empara des frères qu'il enchaîna pour les faire dévorer par les loups dans la nuit l'un après l'autre. (La légende ne le dit pas mais cet époux, c'est évident, est un sadique ! Il prend plaisir à faire durer les tortures.) Signy, inutile de le préciser était effondrée mais quand ce fut le tour du dernier, qui était Sigmund, elle eut une idée : lui donner un fils qui le vengerait. Sous un déguisement – de mendiante selon certains –, elle alla le voir, arrêta le temps et passa trois nuits en sa compagnie dans sa couche. Sigmund qui, à la dernière minute eut la vie sauve, ne devina jamais évidemment qui était cette femme qui lui avait donné tant de plaisir.
Quelques mois plus tard, un garçon, Sintiotli, naquit des amours du frère et de la sœur. Signy l'éleva en le faisant passer pour un fils légitime, puis lorsqu'il devint adulte, elle l'envoya à Sigmund. Les deux héros se reconnurent aussitôt comme des chiens qui se flairent. (Rien de plus fort que les liens du sang !) Un jour enfin – ils ne rêvaient que de cela – ils réussirent à prendre par surprise la maison de leur geôlier. Ils tuèrent ses serviteurs, n'épargnèrent aucun de ses enfants et l'enfermèrent lui-même avant de mettre le feu. Signy, cependant, les regardait sans rien faire, semblant les approuver. Quand ils eurent fini, elle leur dit qu'ils avaient accompli leur vengeance comme le voulaient les dieux, puis sans rien ajouter elle entra à son tour dans le brasier. Elle avait réalisé son propre désir de vengeance : voir mourir sa famille et disparaître avec elle...
Une autre aventure de Sigurd, qui eut d'autres fils, constitue la version originelle de la légende de Siegfred. Brynhild,

une valkyrie à la fois tendre et redoutable désobéit un jour à Odin qui, pour la punir, décide de la plonger dans un intense sommeil d'où elle ne pourra sortir que lorsqu'un homme la réveillera. (« La Belle au bois dormant » en quelque sorte.) Eplorée, Brynhild rappelle au dieu qu'à part cette faute, elle l'a tout de même toujours bien servi et elle le supplie de lui accorder une faveur. « Que ce soit un brave, un guerrier, qui vienne à moi. Que je ne revoie jamais le jour si mes yeux doivent s'ouvrir sur un homme qui connaît la crainte. » Odin accepte. Il entoure la couche d'un brasier que personne n'osera franchir. Sigurd, le fils le plus glorieux de Sigmund, qui, en quête d'ouverture, passe par là par hasard, n'hésitera pas une seule seconde. Il éponnera son cheval, l'obligera à traverser les flammes et, émerveillé, il s'agenouille devant la belle endormie qui se réveille aussitôt. Brynhild, tout aussi fougueuse, se jette dans les bras du héros qui lui est destiné, pour une nuit d'amour sans fin. Mais l'amour n'est pas tout ! Ses délices n'empêchent pas Sigurd de reprendre la route. (Un vrai chevalier errant, ce Sigurd !)
Il s'en va chez les Giukungs, où reconnaissant sa valeur, l'aimant d'un amour presque homosexuel, le roi Gunnar échange avec lui un serment de fraternité. Ils se font des petites blessures aux veines des poignets et les apposant laissent leurs sangs circuler. Emue par une si belle amitié, la mère de Gunnar, Grienhild, une mère abusive qui, n'accordant aucune autonomie à ses enfants veut tout régenter, désire la confirmer. Elle offre à Sigurd sa fille Gudrun et, comme le héros lui apprend qu'il est toujours violemment épris de Brynhild, elle lui donne un filtre qui, à peine bu, éloigne le souvenir de la valkyrie. A force cependant d'avoir entendu vanter les charmes de Brynhild, Gunnar en tombe amoureux à son tour, mais n'osant franchir le mur de flammes – exclusif, jaloux, le héros ne l'a pas éteint pour défendre, emprisonner, son ancienne maîtresse – il demande à Sigurd de la conquérir pour lui. Celui-ci, grâce à la magie de Grienhild complaisante, prend l'apparence de son beau-frère et pénètre de nouveau dans le cercle magique. Arrivé devant la belle Brynhild, il est repris par son charme. Il passe trois nuits avec elle, mais en partant il dispose entre eux une épée pour signifier que tout cela a été chaste. (On retrouve un épisode presque identique dans « Tristan et Iseult ».) Ravie par son nouvel amant encore plus vigoureux, encore plus sensuel, encore plus affectueux que le précédent, Brynhild est toute heureuse évidemment quand Gunnar lui demande de l'épouser.

L'histoire aurait pu s'achever et les deux couples vivre en paix si les deux anciens amants, aiguillonnés par un inconscient désir, ne se cherchaient toujours querelle. De telles disputes retentissaient sur les épouses tant et si bien que Gudrun, un jour, apprend la vérité à Brynhild. « Non, ce n'est pas son frère qui t'a arrachée aux flammes. Oui, c'est Sigurd. Toute la famille t'a caché la vérité. » Brynhild décide alors de se venger. Elle dit à son époux que l'épée n'était qu'une fallacieuse mise en scène et que, trahissant son serment, Sigurd l'a vraiment aimée au cours des trois nuits fatidiques qu'il a passées dans sa couche. Et pour finir, elle lui intime l'ordre de tuer son rival en menaçant de quitter le foyer conjugal s'il ne s'exécute pas. Gunnar est embarrassé : tenu par le serment de fraternité, que peut-il faire pour garder sa femme dont il ne peut se passer ? Une seule solution : persuader son jeune frère, en lui disant que l'honneur du clan se trouve en jeu, d'égorger Sigurd pendant son sommeil. Tout feu, tout flammes, le jeune frère obéit. Gudrun se réveille inondée du sang de son mari. Elle pousse des cris à fendre l'âme qui sèment la panique au palais. C'est alors, dit le conte, que « Brynhild la valkyrie s'est mise à rire de tout son cœur pour la première fois de sa vie ».

Tuer l'être qu'on aime est le moyen le plus radical pour se débarrasser de la passion à laquelle on refuse de céder mais, le forfait une fois accompli, l'absence définitive de cet être cause une souffrance encore plus violente. « Quoi, Sigurd est mort ! Je ne pourrai plus jamais le voir ni le toucher ! Je ne respirerai plus l'air qu'il respire. » Brynhild, toute honte bue, se confesse ensuite à son mari : « Je n'ai jamais aimé qu'un seul homme. Les hommes et les femmes viennent au monde dans une peine toujours trop longue et l'amour que j'éprouvais pour Sigurd seul me donnait la force de passer cette peine. » Et sans demander son pardon, elle se tue aussitôt. Son corps tombe à côté de celui de son amant sur le bûcher funéraire qu'on a dressé en toute hâte...

Près du cadavre de son époux qu'elle a aimé plus qu'elle-même, Gudrun, cependant, veille en silence. Elle ne peut ni pleurer ni prononcer le moindre mot, si bien que tout le monde, parents, amis, serviteurs, craint qu'elle ne perde la raison ou qu'elle ne meure de chagrin. Pour lui apporter quelque réconfort, les gens lui disent à tour de rôle leurs propres peines. (« La peine la plus forte qu'ils aient connue. ») « La mort m'a enlevé mon mari, mes enfants, ma famille toute entière et je suis encore en vie », se lamente une vieille femme. « Mes sept fils sont tombés, ainsi que mon époux, au pays du Sud. Je les ai enterrés de mes mains, et personne n'est à ce jour venu me consoler » se plaint une autre. C'est un cortège de lamentations, d'histoires plus tristes les unes que les autres, « mais, dit le récit, malgré sa douleur, Gudrun ne verse pas une seule larme tant son cœur est devenu de pierre aux côtés du héros mort ». C'est alors qu'inspirée par les dieux, une femme a l'idée de soulever le linceul pour déposer la tête tant aimée sur les genoux de la femme qui ne peut le pleurer. « Regarde celui que tu adorais, dit la femme sage à Gudrun. Presse tes lèvres sur les siennes comme s'il vivait encore. » Gudrun n'a qu'un regard. Elle découvre ses cheveux durcis par le sang, ces yeux aveugles, jadis si brillants. Elle se penche. Elle incline la tête. Ses larmes tant retenues ruissellent comme des gouttes de pluie. Elle a compris que la vie du héros porte en elle son propre bonheur et que jamais, sous le soleil, on ne verra vivre un homme plus noble que Sigurd.

TITRES PARUS

Amarande bleu

- Je réussis ma SARL
  Véronique Génin, Eric Chambaud
- Je réussis mon entretien d'embauche
  Jean-Pierre Thiollet,
  Marie-Françoise Guignard-Peyrucq
- C.V. Les lettres-clés de ma carrière
  Jean-Pierre Thiollet,
  Marie-Françoise Guignard-Peyrucq
- Réussir sa candidature
  Conseils pratiques à l'usage du chercheur d'emploi
  Christian Rudelle
- Dictionnaire des termes juridiques
  Christian Rudelle
- La lettre de motivation
  Catherine Andreiev-Bastien
- Le salarié : droits et obligations
  Daniel-Emmanuel Enoch

Amarande violet

- Trésors et secrets de Montségur
  W.N. Birks, G.A. Gilbert
- Méthode pratique d'hypnotisme
  W.J. Ousby
- Initiation aux secrets de la magie
  Israël Regardie
- Le langage secret du sommeil
  Comprendre vos rêves
  Nerys Dee
- Les secrets de votre thème astral
  Sheila Geddes
- Les mystères de la vie après la mort
  D. Scott Rogo
- Communion avec la nature : La Magie Blanche
  Roderic Roux
- Le miracle cathare
  André Nataf

- S'initier à la numérologie
  Jean Duchesnay
- Votre personnalité et votre destinée par les tests astro-psychologiques
  Eddy Facoury
- Les secrets de votre pendule
  Jean-Christophe de Buis
- Lumières sur l'après-vie
  Jean de Rochas
- Symboles et messages des tarots
  Jean de Bréville
- Puissance de l'ombre : la magie noire
  Roderic Roux
- Apprendre à analyser un thème astral
  Eddy Facoury
- Les forces du magnétisme
  Gérard Salomon
- Comprendre la réincarnation
  Pierre-Olivier Chanez
- L'harmonie relationnelle par l'astrologie
  Eddy Facoury
- Qui sont les francs-maçons ?
  Raphaël Christian
- Symboles et messages de vos rêves
  Sandrine Chartier
- Votre personnalité et le destin à la lumière de l'astrologie
  Brigitte Durup
- D'un automne à l'autre votre horoscope
  Jean de Sèvres
- Vertus et maléfices de la Lune
  Maryse Loubens
- Votre avenir par la cartomancie
  Jean Duchesnay
- Les symboles dévoilés du tarot bohémien
  Jean de Bréville

- Dictionnaire de l'Amour et des Rêves
Albert Swann

Amarande rouge

- Votre correspondance privée
Daniel-Emmanuel Enoch
- Caractère et personnalité par la graphologie
Gérard Douatte
- Comprendre et réussir les tests psychologiques
Christine Amaral-Giacomino

Amarande vert

- Equilibre alimentaire et calories
Maya Nuq

Amarande orange

- Mythes et légendes des grandes civilisations
Jean de Bréville
- Voie de Sagesse et d'Amour : le Soufisme
Jean Duchesnay

Imprimé par Jouve
18, rue Saint-Denis
75001 Paris